fru fruta

Pati Bianco

O LIVRO DE RECEITAS DO BLOG

Frufruta

PARA UMA VIDA MAIS
DOCE E SAUDÁVEL

ilustrações de
Jackie Diedam

Gostaria de agradecer ao Empório Strapasson (www.chacarastrapasson.com.br) por fornecer as frutas e oleaginosas usadas nas receitas e também à loja Spicy pelo empréstimo de objetos usados em algumas fotos do livro. Agradeço também à Monique Borba, da M Cookies, por ter confeitado os biscoitos da p. 53 e também à confeiteira Julia Guedes, pela montagem do naked cake da p. 82. Por fim, agradeço ao professor de botânica da PUC/PR Luiz Antônio Acra pela ajuda com os nomes científicas das flores ilustradas nas páginas 12 e 13.

O texto deste livro foi fixado conforme o acordo ortográfico vigente no Brasil desde 1º de janeiro de 2009.

Edição: Bia Nunes de Sousa
Revisão: Claudia Vilas Gomes, Rosi Ribeiro Melo
Capa e projeto gráfico: Amanda Cestaro e Rodrigo Frazão
Foto da p. 2: Ricardo Perini
Impressão e acabamento: EGB – Editora e Gráfica Bernardi
1ª edição, 2017 (1 reimpressão)
Impresso no Brasil

Dados Internacionais de Catalogação na Publicação (CIP)
(Câmara Brasileira do Livro, SP, Brasil)

Bianco, Pati
O livro de receitas do blog Fru-fruta : para uma vida mais doce e saudável / Pati Bianco; ilustração Jackie Diedam. -- 1. ed. -- São Paulo: Alaúde Editorial, 2017.

ISBN 978-85-7881-428-1

1. Blogs (Internet) 2. Culinária 3. Gastronomia 4. Hábitos alimentares - Blogs 5. Programa da Pati Bianco (Programa de Internet) 6. Receitas culinárias I. Diedam, Jackie. II. Título.

17-03656 CDD-641.5

Índices para catálogo sistemático:
1. Receitas : Culinária : Economia doméstica 641.5

2017
Alaúde Editorial Ltda.
Avenida Paulista, 1337, conj. 11
São Paulo, SP, 01311-200
Tel.: (11) 5572-9474
www.alaude.com.br

SUMÁRIO

INTRODUÇÃO

Antes de explicar quem sou e por que escrevi um livro de receitas de doces deliciosamente saudáveis, vou contar um pouco da minha história.

Minha família nunca gostou muito da cozinha. Minha mãe, Elizabeth, conquistou cedo sua independência, decidiu voltar a trabalhar fora depois de passar alguns anos cuidando da minha irmã mais velha e não parou mais. Saiu da zona de conforto e escolheu não se dedicar exclusivamente ao lar e às filhas. Cozinhava quando precisava matar a fome, dela ou nossa, mas sem grande empolgação pela atividade. Meu pai, Humberto, se arrisca pouco no universo das panelas, e minha irmã, Fernanda, menos ainda.

A encarregada pela comida de casa sempre foi a Dina, que trabalha conosco há mais de 20 anos e já faz parte da família. Desde pequena gostava de assisti-la preparando as refeições, especialmente a sobremesa. Quando meu flerte com a cozinha nasceu, eu era tão pequena que nem consigo precisar quantos anos tinha. Só me lembro de ficar na porta da cozinha, de olho na movimentação. Observava a mágica do calor transformando os alimentos e pronto: uma cuca de banana saía cheirosa do forno. Eram as cores e a beleza dos doces que mais me hipnotizavam. Volta e meia eu me arriscava a quebrar um ovo ou ajudar a preparar um brigadeiro, mas sempre com um pouco de medo daquelas ferramentas, das máquinas, do fogo. Naquele tempo, a cozinha era, ao mesmo tempo, um lugar fascinante e inóspito.

A vida seguiu em frente, me graduei em design gráfico e me especializei em gestão estratégica de marcas. Continuei boa de garfo, e no trabalho ganhei o apelido de comilona. Apesar de amar comer, eu me alimentava mal: pulava a salada, fazia cara feia para os legumes, adorava salgadinhos, biscoito recheado e todo tipo de comida industrializada.

Após muitos anos de uma alimentação monótona e pobre em nutrientes, o desequilíbrio chegou ao seu ápice e fez meu corpo pedir socorro. Passei mal por muito tempo, achei que estava doente, tomei remédios, fiz mil exames. Ninguém foi capaz de descobrir o que eu tinha.

Quando pensei que teria que me habituar a uma rotina de mal-estar e indisposições diárias, resolvi olhar para mim mesma. Compreendi que o problema não era meu organismo, mas sim o que eu comia, o combustível que eu ingeria, o meu estilo de vida. Recebi o diagnóstico da minha alergia a ovo e leite e me convenci de que era necessário mudar.

A gastronomia não me passava pela cabeça como opção profissional. Os programas de culinária se repetiam na televisão sempre ligada, muita teoria e pouca prática. Em dado momento, comecei a ler sobre nutrição, estudar a alimentação. Eu me aventurei na cozinha, descobri novos sabores, novas texturas e novos ingredientes. Conheci finalmente a sensação de bem-estar, passei a ter um organismo que funcionava melhor.

A mudança foi tamanha que resolvi compartilhar isso com o mundo, mostrar que se alimentar bem e de forma consciente está ao alcance de todos. Decidi criar um blog cheio de coisas bonitas e saudáveis. Batizei-o de Fru-fruta para que só o nome já fosse capaz de arrancar sorrisos.

Não demorou para que pessoas começassem a responder ao carinho e ao empenho que eu dedicava ao blog. Receitas nascidas na minha cozinha passaram a viajar o Brasil e até mesmo o mundo, levando felicidade a quem procurava alternativas saudáveis para o dia a dia, novas inspirações para pessoas com restrições alimentares e até alento a pais às voltas com a alimentação de filhos alérgicos. Fazer a diferença dentro de outros lares, no cotidiano de pessoas que nem conheço, me tocou profundamente e se tornou minha causa.

Comunicar-me com tanta gente é uma grande responsabilidade, portanto procurei cursos na área e me especializei em gastronomia saudável. O antigo amor pelas sobremesas se encontrou com minha formação profissional: o design me ensinou a compor em formas e cores os sabores que a culinária me trouxe. A gastronomia saudável me ensinou que é possível criar doces deliciosos e ricos em nutrientes.

Sou a favor de comida de verdade, preparada com respeito aos ingredientes, sem aditivos químicos, mas sou contra radicalismos. Bolo de chocolate tem que ter gosto de chocolate, não de cacau em pó. Sobremesa tem que ser saborosa, sem gosto de adoçante artificial. Comida nutre o corpo, mas também é memória afetiva, e um pouco de açúcar de vez em quando não faz mal a ninguém. Ainda mais quando utilizamos ingredientes do bem e criamos receitas ricas em fibras e nutrientes. Mas é claro que não dá para comer o bolo ou o prato inteiro de uma vez, né? Temperança. Tudo é equilíbrio.

Aqui você encontrará receitas de doces dos mais diversos tipos, para as mais diversas situações. Todos preparados sem ovos ou leite, alguns sem glúten, outros sem açúcar.

Espero que estas doces receitas, criadas com tanto amor em minha cozinha, cheguem até a sua, tragam a sensação de estômago contente e provoquem sorrisos espontâneos.

Bom apetite!

ALÉRGICA E COMILONA

como conciliar amor por comida e restrições alimentares

Sair para almoçar, tomar um café ou um sorvete. Comer fora sempre foi um dos meus programas favoritos. Como descobri minhas alergias alimentares depois de adulta, tive que adaptar toda a minha rotina às restrições alimentares. Aqui estão algumas coisinhas que aprendi ao longo dos anos.

no dia a dia

Sempre ando com um lanchinho na bolsa: frutas, castanhas, barrinhas de cereal caseiras. O importante é estar sempre prevenido, pois é fato que hora ou outra a fome chega. Quando viajo para a casa de familiares ou para lugares que tenham cozinha, levo também os ingredientes da minha panqueca (p. 26), um pote de chia e outro de pasta de amendoim. Esse é meu kit de "primeiros socorros". Assim não passo aperto!

no trabalho

Hoje em dia faço home office, mas, quando ainda trabalhava fora, por vezes saía de casa às 6h e voltava às 22h. Nessa época, organização e planejamento eram a chave do sucesso na rotina alimentar. No dia anterior, preparava a marmita com o almoço e uma bolsa térmica com os lanches do dia todo separados, já que sinto fome de 3 em 3 horas (avisei que sou comilona!). Empunhava mala, cuia, marmita e lancheira todo santo dia antes de partir para o trabalho. Por conta disso, desenvolvi várias receitas de lanches saudáveis possíveis de transportar. Foi aí que nasceu meu amor pelo creme de chia, uma das primeiras receitas saudáveis mais fora do padrão que me arrisquei a fazer. Outra estratégia que me ajudou foi localizar a loja de produtos naturais mais próxima do trabalho. Ótima rota de fuga em caso de emergências! Trabalhando em casa, é um pouco mais fácil controlar as refeições. O difícil mesmo é controlar a vontade de atacar o pote de pasta de amendoim. Mas isso é assunto para outra hora!

no restaurante

Quando vou a restaurantes que ainda não conheço, acaba sendo inevitável o interrogatório ao garçom: "O molho leva leite? E manteiga? A massa tem ovos?" Geralmente o pessoal entende a situação e ajuda a encontrar a melhor alternativa do cardápio. Até mesmo em festas, como formaturas ou casamentos, o pessoal se dispõe a adaptar o menu. O que não pode é ter vergonha de perguntar! Quando é possível, gosto de verificar o cardápio do restaurante na internet. Às vezes até ligo antes de sair, verificando se é possível adaptar os pratos para as minhas necessidades. Até hoje essas estratégias funcionaram bem!

no avião

Para viagens longas, geralmente é possível pedir alimentação especial. As companhias aéreas oferecem diversas opções (vegana, vegetariana, sem glúten etc.). Via de regra, é necessário informá-los com alguma antecedência. Não vai deixar para a última hora para não correr o risco de passar fome!

oportunidade

Cada vez mais os empresários percebem a importância de oferecer opções saudáveis e inclusivas. Quanto mais procuramos por esse tipo de alternativa como consumidores, mais o mercado compreenderá que esse é um novo hábito de consumo e investirá mais no segmento. No blog, existe uma seção chamada "Guia", que contém um mapa interativo e colaborativo com dicas de estabelecimentos mundo afora que oferecem opções saudáveis ou produtos para quem tem restrições alimentares. Se você tiver alguma dica, mande um e-mail para contato@frufruta.com.br.

LEGENDA

Por causa da minha alergia, nenhuma das receitas deste livro contém leite e derivados nem ovos. Desde que recebi o diagnóstico, foi inevitável simpatizar com quem tem outros tipos de alergia, como ao glúten. Por outro lado, como a gente sabe, é sempre bom maneirar no açúcar, principalmente o refinado. Por isso, criei dois ícones que ajudam a identificar as receitas:

 sem glúten

 sem adição de açúcar

MEDIDAS

Todos os ingredientes foram medidos com medidores padrão, aqueles jogos de xícaras e colheres à venda em lojas de utilidades domésticas. A equivalência de medida é a seguinte:

1 xícara = 250 ml

1 colher (sopa) = 15 ml

1 colher (chá) = 5 ml

OS QUERIDINHOS

o que não pode faltar na minha despensa

aveia

Além de não refinado e nutritivo, é um cereal barato. Farinha, farelo, flocos médios ou grossos: a aveia vai da panqueca ao mingau, tem sabor neutro e é superversátil. A aveia em si não contém glúten, mas pode ter passado por equipamentos que também processam trigo. Se você não puder consumir nem traços de glúten, leia o rótulo atentamente.

linhaça

É riquíssima em nutrientes e fibras. Em contato com a água, cria um gel que substitui o ovo em algumas preparações e ajuda a dar liga e a reter umidade em bolos, massas e pães Uso tanto a farinha quanto as sementinhas.

oleaginosas

Castanha-do-pará, castanha de caju, amêndoa, avelã, nozes… além de deliciosas, são ricas em gorduras boas e fazem superbem para a saúde. Mas infelizmente não dá pra comer um monte de uma vez só! Consumo-as torradas quase todos os dias na hora do lanche, quando bate aquela fominha. As cruas viram leites vegetais maravilhosos. Minha dica para controlar a gula é porcionar a quantidade prescrita por seu nutricionista ou médico e só levar consigo o "permitido"!

chia

Assim como a linhaça, também cria um gel quando em contato com líquidos, mas deixa uma textura granulada. Por causa disso, tem quem chame o creme de chia (p. 22) de sagu. As sementinhas, bem pequenas e escuras, são superbonitinhas e ficam um charme em pães. Além disso, apresenta gorduras do bem e um perfil antioxidante alto.

quinoa

Um grão pequeno em tamanho, mas com um enorme poder nutritivo. Gosto muito de consumi-la cozida em água ou leite vegetal (como arroz ou mingau), misturada com frutas secas e amêndoa laminada. É uma ótima fonte de proteína vegetal.

pasta de amendoim integral

Esta exige maturidade! Tenho que me controlar para não extrapolar. Além de deliciosa, considero uma ótima fonte de proteínas. Fica maravilhosa em receitas, passada no pão, na panqueca... Também adoro "roubar" uma colherzinha para acompanhar uma xícara de café.

açúcar mascavo, demerara e melado de cana

Versões mais nutritivas e menos processadas do que o açúcar refinado. O mascavo e o melado ainda trazem para as receitas o sabor peculiar da cana, o que torna algumas delas ainda mais saborosas.

grão-de-bico

Esta leguminosa não poderia deixar de aparecer aqui. Em grão ou farinha, utilizo muito o grão-de-bico no dia a dia. Rico em fibras e proteínas, é um ótimo ingrediente para ser incluído na rotina.

especiarias

Baunilha, canela, cardamomo, cravo, anis-estrelado, noz-moscada... Conferem um sabor todo especial a qualquer receita, além de serem ótimas para o metabolismo, para a digestão e para o paladar, é claro!

coco

Leite de coco, óleo de coco, açúcar de coco, coco ralado, chips de coco. Coco, coco, coco! Este ingrediente tão brasileiro está sempre presente na minha despensa em suas diversas formas. Seja puro e fresco para o lanchinho da tarde, seja como ingrediente em receitas doces ou salgadas, é uma ótima opção por seu sabor e benefícios nutricionais.

LEITE DE COCO

A maioria das minhas receitas leva leite de coco concentrado, que é mais espesso e consistente e dá mais textura aos doces. Na hora da pressa, você pode usar o industrializado, mas é bem fácil preparar o seu: é só bater no liquidificador 2 xícaras de coco fresco ralado com 1 xícara de água quente por 4 minutos, para extrair bem a gordura. Dura até 5 dias na geladeira ou até 3 meses no freezer. Para o leite de coco caseiro, aumente a quantidade de água para 4 xícaras. O resíduo do leite pode ser usado para incrementar smoothies, cookies e mingaus.

PASTA DE AMENDOIM OU DE AMÊNDOA

Fazer pasta de amendoim ou de amêndoa em casa é muito mais fácil do que a gente imagina. Basta ter um bom processador e um pouco de paciência. Conforme for batendo, vai obter uma farinha que depois vai virar uma pasta. Isso ocorre porque o amendoim e a amêndoa liberam o próprio óleo, que encorpa a farinha e dá a consistência pastosa. Se preciso, pare de bater de vez em quando para raspar as paredes do processador.

Flores Comestíveis

APENAS FLORES CULTIVADAS COM ESSE PROPÓSITO SÃO COMESTÍVEIS. AS ORNAMENTAIS, VENDIDAS EM FLORICULTURAS, NÃO SÃO PRÓPRIAS PARA CONSUMO.

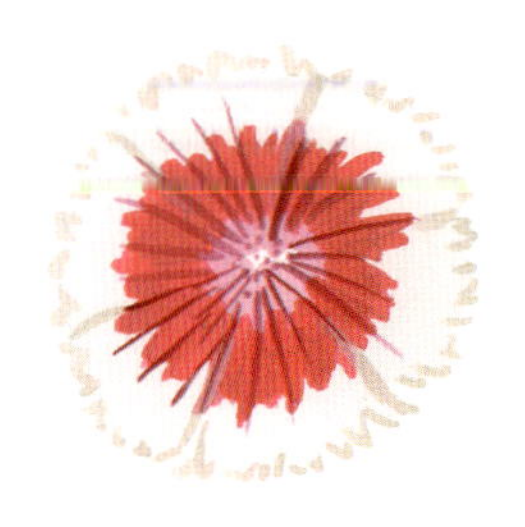

CRAVINA

(*Dianthus caryophyllus* L., Caryophyllaceae)

CAPUCHINHA

(*Tropaeolum majus* L., Tropaeolaceae)

AMOR-PERFEITO

(*Viola tricolor* L., Violaceae)

JASMIN

(*Jasminum officinale* L., Oleaceae)

BEGÔNIA-DE-JARDIM

(*Begonia semperflorens* Link & Otto, Begoniaceae)

GERÂNIO

(Pelargonium peltatum L., Geraniaceae)

LAVANDA

(Lavandula angustifolia L., Lamiaceae)

ROSA

(Rosa spp., Rosaceae)

CAMOMILA

(Matricharia chamomilla L., Asteraceae)

IPÊ-ROSA

(Handroanthus heptaphyllus (Vell.) Mattos, Bignoniaceae)

Café da manhã

AÇAÍ NO COCO
com frutas frescas

RENDE **2 A 4 PORÇÕES**

400 g de polpa de açaí congelada não adoçada
½ xícara de biomassa de banana verde (p. 138)
2 bananas-caturras sem casca cortadas em rodelas
2 cocos secos abertos na metade
frutas frescas a gosto

A banana-caturra também é chamada de banana-nanica ou banana-anã. Caso não queira consumir a polpa dos cocos com o açaí, lave-os, retire a polpa das cascas e congele-as dentro de recipientes vedados para utilizar quando quiser.

1 Coloque a polpa de açaí, a biomassa e a banana em um processador ou liquidificador e bata até obter um creme homogêneo. Sirva nos cocos secos e decore com as frutas.

GRANOLA DE LARANJA,
amêndoa, nozes e quinoa

RENDE **400 G**

1 colher (sopa) de açúcar demerara
raspas da casca de ½ laranja
2 xícaras de aveia em flocos grossos
½ xícara de amêndoa
½ xícara de nozes
2 colheres (sopa) de quinoa em grão
uma pitada de sal
¼ de xícara de óleo de coco derretido
¼ de xícara de melado de cana
½ xícara de cranberries

1 Preaqueça o forno a 180 °C e forre uma assadeira média com papel-manteiga.
2 Em uma tigela, misture o açúcar e as raspas de laranja. Massageie com as pontas dos dedos para que o açúcar pegue a essência da laranja. Essa mistura ficará com uma cor alaranjada brilhante. Junte os demais ingredientes secos, exceto as cranberries.
3 Em outro recipiente, misture o óleo de coco e o melado. Despeje sobre os ingredientes secos e misture até envolver tudo.
4 Transfira para a assadeira e leve ao forno por aproximadamente 30 minutos. Na metade do tempo, abra o forno e mexa a granola com uma colher para não queimar.
5 Quando estiver dourada, retire do forno. Deixe amornar e adicione as cranberries. A granola ficará crocante depois de fria. Armazene em pote com tampa por até 7 dias.

Esta receita fica com um toque especial de laranja, e você pode substituir a amêndoa e as nozes pelo que tiver na despensa. Use a criatividade e invente sua própria receita favorita.

IOGURTE DE CASTANHAS
com tâmaras e manga

RENDE **4 PORÇÕES**

- ½ xícara de castanha de caju crua demolhada (ver dica)
- 1⅔ xícara (400 ml) de água
- 1 colher (chá) de ágar-ágar (ou 1 sachê de 4 g)
- 5 tâmaras sem caroço
- 2 colheres (sopa) de suco de limão
- 1 colher (chá) de extrato de baunilha caseiro (p. 141)
- ½ manga sem casca cortada em cubos

Deixe as castanhas de molho em água potável por aproximadamente 8 horas. Passado esse tempo, escorra as castanhas e descarte a água. Caso prefira uma opção mais rápida, cozinhe as castanhas cruas em água fervente por 10 a 15 minutos em fogo baixo antes de bater no liquidificador. Procure comprar o ágar-ágar em embalagens fechadas. Se só encontrar a granel, certifique-se de que não tem coloração acinzentada, pois esse pode ter sabor mais forte. O ágar-ágar é um pó fino, de cor clara, e não deve deixar sabor residual na receita.

1 Coloque as castanhas e a água no liquidificador e bata até obter um líquido branco e homogêneo. Se preferir, use um mixer de mão. Coe em um pano ou voal dentro de uma panela. Adicione o ágar-ágar e mexa bem.

2 Leve a panela ao fogo médio-baixo e mexa até levantar fervura. Mas, cuidado, pode espumar e derramar! Continue mexendo por mais 2 minutos e desligue o fogo.

3 Coloque na geladeira por 45 minutos ou até gelificar; a mistura deve ficar com uma consistência bem gelatinosa. Acesse o QR Code para ver como fica cremoso!

4 Transfira essa gelatina para o copo do liquidificador ou mixer. Junte as tâmaras, o suco de limão e o extrato de baunilha e bata até ficar cremoso. Separe metade desse iogurte e reserve.

5 Junte a manga à metade do iogurte que ficou no liquidificador e bata novamente, até obter um creme amarelo e homogêneo.

6 Em uma taça ou copo, intercale camadas do iogurte de tâmaras e do creme de manga. Deixe na geladeira até a hora de servir.

CREME DE CHIA
e coco degradê

RENDE **1 PORÇÃO**

1 xícara de leite de coco concentrado (ver boxe p. 11)
2 colheres (sopa) de chia
1 xícara de suco de uva integral sem açúcar
¼ de colher (chá) de extrato de baunilha caseiro (p. 141)
5 gotas de estévia (opcional)
frutas frescas para decorar

Acesse o QR Code para ver a consistência e o brilho maravilhoso desta calda! Caso não queira montar o creme em degradê, faça apenas o passo 1 da receita e sirva com frutas frescas, chips de coco ou a geleia de morango e chia (p. 30), que já fica uma delícia!

1 Em um recipiente, coloque o leite de coco e a chia e misture bem, até todos os grãozinhos ficarem submersos. Deixe na geladeira por, no mínimo, 6 horas para que a mistura fique mais encorpada.

2 Passado esse tempo (ou na manhã seguinte, se for consumir no café da manhã), coloque o suco de uva em uma panela. Cozinhe em fogo baixo até o volume reduzir a menos da metade e ficar viscoso como uma calda. Misture a baunilha.

3 Retire o creme da geladeira e divida em três partes, cada uma com ⅓ de xícara, aproximadamente. Tinja uma das partes com 1 colher (sopa) do suco de uva reduzido e misture bem. Em outra parte, misture 1 colher (chá) do suco. Deixe a terceira parte branquinha, sem misturar.

4 Escolha uma taça ou vidro e monte seu creme como preferir. Eu comecei pelo tom mais escuro, seguido do médio e finalizei com o creme branquinho – sem suco de uva. Regue o creme com o que sobrou do suco reduzido e decore com as frutas frescas que tiver em casa, aqui usei coco e physalis.

MINGAU DE AVEIA,
quinoa, pera e amêndoa

RENDE **2 PORÇÕES**

2 xícaras de leite de amêndoa (ver p. 130)
1 xícara de água
2/3 de xícara de aveia em flocos
4 colheres (sopa) de quinoa em grãos
2 colheres (sopa) de açúcar mascavo
2 paus de canela
1 colher (chá) de óleo de coco para grelhar
1 pera cortada ao meio sem sementes
canela em pó para polvilhar
amêndoas laminadas ou picadas

1 Em uma panela pequena, coloque o leite, a água, a aveia, a quinoa, o açúcar e os paus de canela. Cozinhe em fogo baixo por cerca de 15 minutos, mexendo de vez em quando. A mistura vai engrossar enquanto a quinoa cozinha. Retire do fogo e desligue.
2 Enquanto o mingau cozinha, despeje o óleo de coco em uma frigideira e aqueça em fogo médio. Coloque as metades da pera, com a parte cortada para baixo. Deixe dourar, se necessário pressionando um pouco contra a frigideira.
3 Divida o mingau entre duas tigelas e coloque uma metade de pera sobre ele. Polvilhe um pouco de canela, disponha as amêndoas laminadas e sirva em seguida.

Não tem nada mais reconfortante que um bom mingau de aveia naqueles dias mais frios. Este mingau com pera é nutritivo, alimenta, esquenta pés e coração. É quase como receber um abraço, só que por dentro.

PANQUECA
de cenoura com coco

RENDE **6 PANQUECAS**

- 1⅓ xícara de farinha de aveia
- 1 xícara de coco ralado seco
- 6 colheres (sopa) de açúcar demerara
- 4 colheres (sopa) de farinha de linhaça
- 2 colheres (chá) de fermento químico em pó
- 2 colheres (chá) de canela em pó
- 1 colher (chá) de cravo em pó
- 1 colher (chá) de noz-moscada em pó
- uma pitada de sal
- 1 xícara de cenoura ralada bem fininho
- 1¼ xícara de água filtrada
- óleo de coco para untar

Sirva as panquecas com nozes, xarope de agave, melado de cana ou com creme de avelã (p. 34). Se não gostar de canela, cravo ou noz--moscada, substitua por outras especiarias, como gengibre ou cardamomo em pó. Você pode usar qualquer óleo vegetal para untar, mas o de coco dá um sabor especial.

1. Em uma tigela, misture bem todos os ingredientes secos. Adicione a cenoura e a água e misture até obter uma massa espessa.
2. Aqueça uma frigideira antiaderente em fogo médio e unte com óleo. Coloque duas colheradas de massa na frigideira e espere dourar. Aos poucos, a panqueca ganhará uma coloração mais alaranjada. Quando se soltar do fundo da frigideira, vire com a ajuda de uma espátula e doure do outro lado. Repita o procedimento até acabar a massa e sirva em seguida.

WAFFLE
sem glúten

RENDE **4 WAFFLES**

1 xícara de farinha de arroz integral
8 colheres (sopa) de polvilho doce
4 colheres (sopa) de farinha de linhaça
4 colheres (sopa) de açúcar mascavo ou de coco
uma pitada de sal
1 xícara de água
1 colher (chá) de vinagre de maçã
½ colher (chá) de extrato de baunilha caseiro (p. 141)
1 colher (chá) de fermento químico em pó
óleo para untar

Só pelo formato peculiar, o waffle já parece infinitamente mais gostoso, né, não?! Esta versão sem glúten fica crocante por fora e macia por dentro, levemente adocicada e com saborzinho de baunilha. Sirva com a geleia de morango e chia (p. 30), a pasta de semente de girassol (p. 33) ou o creme de avelã e chocolate (p. 34). Se sobrar, guarde na geladeira e esquente na torradeira para recuperar a crocância.

1. Em uma tigela, misture todos os ingredientes secos, exceto o fermento. Adicione a água, o vinagre e a baunilha e mexa bem, até virar uma massa pastosa. Acrescente o fermento e misture novamente.
2. Deixe a mistura descansando enquanto unta e esquenta a máquina de waffle.
3. Despeje a mistura e siga as instruções do seu aparelho. Sirva em seguida!

GELEIA DE *morango e chia*

RENDE **400 G**

3½ xícaras (500 g) de morango fresco sem cabinho e sem folhas picado
3 colheres (sopa) de açúcar demerara (opcional)
2 colheres (sopa) de chia

Esta geleia é muito mais saudável do que as tradicionais, pois leva bem menos açúcar. Ela fica com uma textura incrível e combina bem com torradas, pão com pasta de amendoim, uma fatia de bolo ou creme de chia (p. 22).

1. Coloque os morangos em uma panela. Junte o açúcar e misture bem.
2. Leve ao fogo baixo e cozinhe por 10 a 15 minutos. As frutas soltarão bastante água e ficarão macias.
3. Amasse com um garfo ou amassador de batatas até obter a textura de sua preferência (eu gosto com pedaços grandes da fruta!). Adicione a chia e deixe ferver por mais 1 minutinho. Desligue o fogo.
4. Passe a geleia para um recipiente com tampa e leve à geladeira. A geleia vai ficar mais consistente e adquirir mais textura.

PASTA DE SEMENTE
de girassol e melado de cana

RENDE **1 XÍCARA**

1 xícara de sementes de girassol cruas sem sal
2 colheres (sopa) de azeite de oliva
4 colheres (sopa) de melado de cana
½ colher (chá) de sal
4 colheres (sopa) de água

Esta pasta tem uma sabor surpreendente, além de ser nutritiva e acessível. Também é uma boa alternativa para quem é alérgico a amendoim.

1 Coloque as sementes de girassol em uma frigideira e leve ao fogo médio. Deixe aquecerem e dourarem levemente, mexendo para que tostem por igual e não queimem.
2 Quando estiverem mais douradinhas, passe-as ainda quentes para um processador pequeno junto com os outros ingredientes, exceto a água. Bata até obter uma pasta. Adicione a água, aos poucos, até obter a textura desejada, mais firme ou mais cremosa, conforme o seu gosto.

CREME DE AVELÃ
e chocolate com leite de coco

RENDE **3 XÍCARAS**

- 1½ xícara de avelã sem casca
- 1 xícara de chocolate sem leite 70% cacau picado
- 1 xícara de leite de coco concentrado (ver boxe p. 11)
- 3 colheres (sopa) de açúcar demerara (opcional)
- 3 colheres (sopa) de óleo de coco derretido
- uma pitada de sal

Avelã e chocolate são uma combinação amada no mundo todo. A intensidade do chocolate 70% é realçada pela textura aveludada da gordura do coco e da avelã, conferindo sabor incomparável a esta delícia. Caso queira uma pasta bem lisinha, retire o máximo possível da pele das avelãs.

1. Preaqueça o forno a 180 °C.
2. Espalhe a avelã em uma assadeira e leve ao forno por 8 a 10 minutos. Fique de olho para não queimar! Se precisar, revire as avelãs com uma espátula durante esse tempo.
3. Retire do forno e deixe as avelãs esfriarem um pouco. Coloque-as sobre um pano de prato limpo e esfregue para retirar a pele. Se estiverem mais frias, dá até para esfregar com os dedos. Não tem problema se sobrar um pouquinho de pele, não precisa ficar perfeito! Reserve.
4. Coloque o chocolate, o leite de coco e o açúcar em uma tigela refratária. Encaixe a tigela na boca de uma panela com um pouco de água, mas o fundo da tigela não pode encostar na água, tá?
5. Ligue o fogo alto até a água ferver. Então reduza o fogo e mexa com uma espátula até o chocolate derreter e a mistura ficar homogênea.
6. Enquanto isso, coloque a avelã reservada e o óleo de coco no processador e bata até virar uma massa espessa, quase uma pasta. Se necessário, desligue, raspe as bordas do processador e volte a bater. Quanto mais lisa a textura, mais cremoso ficará o creme.
7. Despeje a mistura de chocolate sobre a pasta de avelã, junte o sal e bata novamente até ficar cremoso. Deixe esfriar antes de consumir.

DOCE DE LEITE

RENDE **1 XÍCARA**

½ xícara de açúcar demerara
1 receita (3½ xícaras) de leite vegetal mix (p. 134)
1 colher (chá) de extrato de baunilha caseiro (p. 141)
uma pitada de sal

Varie a receita usando 3 xícaras de leite de castanha de caju misturadas com ½ xícara de leite de coco no lugar do leite vegetal mix. O sabor do caramelo e o toque de baunilha tornam este doce de leite especial. Utilize-o em receitas, como o pão de melado (p. 84), o minipudim (p. 92) ou delicie-se com uma colherzinha direto do pote.

1. Em fogo baixo, derreta o açúcar, tomando cuidado para não queimar. Se necessário, mexa um pouco com uma espátula de silicone. Em outra panela, coloque o leite para esquentar.
2. Quando o açúcar estiver derretido, despeje um pouco do leite morno com cuidado, pois vai espumar bastante. Continue mexendo e, quando a espuma baixar, adicione o restante do leite.
3. Cozinhe por 45 minutos, mexendo sempre, até encorpar e reduzir para menos da metade do volume inicial. O doce estará no ponto quando você passar a espátula no fundo da panela e um caminho se abrir por alguns segundos. Desligue o fogo.
4. Adicione a baunilha e o sal. Com um batedor de arame, bata o doce por alguns minutos até obter uma consistência cremosa.
5. Deixe esfriar e armazene em um pote fechado na geladeira por até 7 dias.

Na lancheira

BARRINHAS *caseiras*

RENDE **8 A 10 BARRINHAS**

½ xícara de quinoa em grãos
1 xícara de castanha de caju crua
½ xícara de amêndoa crua
½ xícara de cranberries
¼ de xícara de semente de girassol
¼ de xícara de chocolate sem leite 70% cacau
1 colher (sopa) de linhaça
uma pitada de sal
¼ de xícara de melado de cana
⅓ de xícara de pasta de amendoim ou amêndoa (ver boxe p. 11)
óleo de coco para untar

1. Coloque a quinoa em uma panela sem óleo, tampe e leve ao fogo baixo. Os grãos vão aquecer e estourar como pipoca. Chacoalhe a panela às vezes para não queimar. Quando pararem de estourar, desligue o fogo e reserve. Esse processo serve para deixar a quinoa mais crocante.
2. Pique todos os ingredientes secos, exceto a linhaça, ou triture-os rapidamente, pulsando algumas vezes em um processador. Passe para uma tigela, junte a quinoa reservada, a linhaça e o sal e misture. Reserve.
3. Em outra tigelinha, misture o melado e a pasta de amendoim até obter um creme espesso. Despeje esse creme sobre os ingredientes secos e mexa, até envolvê-los bem.
4. Preaqueça o forno a 180 °C.
5. Unte uma assadeira pequena com óleo de coco e espalhe a massa, alisando a superfície com uma espátula. Se preciso, utilize um pedaço de papel-manteiga para pressioná-la contra a assadeira e retirar o ar.
6. Asse por 15 minutos. Retire e espere esfriar; deixe na geladeira se quiser acelerar o processo. Corte com uma faca com serra e embrulhe em papel-manteiga ou filme de PVC. Mantenha as barrinhas na geladeira por até 5 dias.

DOCINHOS *saudáveis*

Arrematadores da fominha entre refeições. Mantenha estes snacks rápidos na geladeira e coloque na bolsa pela manhã para garantir que não vai passar fome (nem comer besteira por aí!)

PISTACHE *e passas*

RENDE **8 UNIDADES**

15 tâmaras sem caroço
¼ de xícara de uva-passa preta sem caroço
1 colher (sopa) de aveia em flocos
¼ de xícara de pistache sem casca picado

1 Hidrate as tâmaras em ½ xícara de água morna por 15 minutos. Passado esse tempo, escorra e descarte a água. Coloque as tâmaras, as passas e a aveia no processador e bata. Quando estiver quase formando uma massa, adicione 1 colher (sopa) do pistache e bata até formar uma massa modelável. Forme bolinhas e passe no restante do pistache.

foto p. 44

DAMASCO *com laranja*

RENDE **14 UNIDADES**

15 damascos
suco de 1 laranja grande
2 colheres (chá) de farinha de linhaça
3 colheres (sopa) de nibs de cacau

1 Hidrate os damascos no suco de laranja por 10 minutos. Passado esse tempo, escorra e descarte o suco. Coloque os damascos e a linhaça no processador e bata até obter uma massa modelável. Se necessário, deixe descansar um pouco na geladeira para firmar. Forme bolinhas e passe nos nibs de cacau.

foto p. 45

AVELÃ *com cacau*

RENDE **14 UNIDADES**

15 tâmaras sem caroço
¼ de xícara + 1 colher (sopa) de avelã
½ colher (sopa) de cacau em pó

1 Hidrate as tâmaras em ½ xícara de água morna por 15 minutos. Enquanto isso, espalhe a avelã em uma assadeira e leve ao forno a 100 °C por 5 a 8 minutos. Retire do forno e deixe as avelãs esfriarem um pouco. Coloque-as sobre um pano de prato limpo e esfregue para retirar a pele. Transfira para o processador e bata até obter uma farinha. Separe 1 colher (sopa) e reserve. Escorra as tâmaras (descarte a água) e adicione ao processador junto com o cacau. Bata até obter uma massa firme. Forme bolinhas e passe na farinha de avelã reservada.

foto p. 45

pistache
e passas

damasco
com laranja
avelã
com cacau

COOKIE DE BANANA,
quinoa e pasta de amendoim

RENDE **8 COOKIES**

1 xícara de quinoa em flocos
¼ de xícara de aveia em flocos
½ colher (chá) de fermento químico em pó
¼ de colher (chá) de canela em pó
¼ de colher (chá) de sal
¼ de xícara de pasta de amendoim (ver boxe p. 11)
2 bananas-caturras amassadas (cerca de ½ xícara)
gotas de chocolate sem leite e sem açúcar para decorar (opcional)

Estes cookies macios e saborosos são um lanche prático e vão bem a qualquer hora do dia. A banana-caturra também é chamada de banana-nanica ou banana-anã.

1. Preaqueça o forno a 180 °C e unte com óleo uma assadeira média.
2. Em uma tigela grande, misture todos os ingredientes pela ordem até formar uma massa pegajosa.
3. Use duas colheres para modelar 8 bolinhas de massa e disponha-as na assadeira. Com a parte de trás da colher, achate as bolinhas, dando o formato dos biscoitos. Decore com as gotas de chocolate, pressionando-as contra a massa.
4. Asse por 15 minutos ou até os cookies dourarem.

COOKIE DE AVEIA,
maçã e castanha-do-pará

RENDE **20 COOKIES**

2 colheres (sopa) de farinha de linhaça
6 colheres (sopa) + ¼ de xícara de água
1½ xícara de farinha de trigo integral
1 xícara de aveia em flocos grossos
¾ de xícara de maçã desidratada picada
½ xícara de castanha-do-pará picada
¾ de colher (chá) de fermento químico
1 colher (chá) de canela em pó
½ colher (chá) de sal
¾ de xícara de óleo de coco derretido
1 xícara de açúcar mascavo

Embrulhe os cookies em papel-alumínio e deixe no freezer para ter sempre à mão. Para descongelar, aqueça por 10 minutos no forno a 180 °C.

1 Preaqueça o forno a 200 °C e unte com óleo uma assadeira grande (ou duas médias).
2 Em uma tigela, misture a linhaça com 6 colheres (sopa) de água e reserve.
3 Em um recipiente grande, misture a farinha, a aveia, a maçã, a castanha-do-pará, o fermento, a canela e o sal. Reserve.
4 Adicione o óleo, o açúcar e a água restante à mistura de linhaça e mexa bem. Despeje essa mistura sobre os ingredientes secos e mexa até formar uma massa.
5 Use duas colheres para modelar 20 bolinhas de massa e disponha-as na assadeira. Com a parte de trás da colher, achate as bolinhas, dando o formato dos biscoitos.
6 Asse por 25 a 30 minutos na grade superior do forno, para não queimar o fundo. Se o forno tiver a função grill, passado esse tempo ligue por 3 minutos para que fiquem dourados. Retire quando estiverem com aparência de sequinhos. Depois, se possível, deixe-os sobre uma grade (para não umedecer a base dos cookies). Eles ficarão crocantes após esfriarem.

BISCOITO *recheado*

RENDE **8 UNIDADES**

A receita ideal para quem não vive sem a combinação perfeita de biscoito crocante com recheio bem cremoso. A versão Fru-fruta desse clássico é caseira, sem adição de nenhum ingrediente esquisito, é livre de glúten e recheada com um creminho de baunilha delicioso. Para ninguém botar defeito!

massa

½ xícara de farinha de arroz integral
¼ de xícara de polvilho doce
¼ de xícara de cacau em pó + um pouco para abrir a massa
2 colheres (sopa) de farinha de linhaça
uma pitada de sal
¼ de xícara de melado de cana
2 colheres (sopa) de azeite de oliva

recheio

½ xícara de castanha de caju crua demolhada (ver dica)
6 colheres (sopa) de leite de coco concentrado (ver boxe p. 11)
1 colher (sopa) de açúcar demerara
1 colher (sopa) de óleo de coco derretido
1 colher (chá) de extrato de baunilha caseiro (p. 141)
¼ de colher (chá) de cremor de tártaro (ver dica)

1. Preaqueça o forno a 180 °C.
2. Comece pelo recheio. Coloque todos os ingredientes no processador e bata até obter um creme homogêneo. Passe para um recipiente com tampa e deixe na geladeira por 30 minutos.
3. Enquanto isso, prepare a massa. Coloque todos os ingredientes secos em uma tigela grande e misture. Adicione o melado, o azeite e a água e misture. Amasse com a mão, até formar uma bola de massa.
4. Salpique cacau em pó em uma superfície plana, posicione a massa e salpique mais um pouco de cacau sobre ela. Abra com um rolo até que a massa fique com cerca de 3 mm de espessura. Corte os biscoitos com um cortador ou com a boca de um copo, sempre em número par.
5. Disponha-os sobre uma assadeira virada de cabeça para baixo, utilizando a parte plana (sem as laterais) para que os biscoitos assem por igual. Asse por 15 minutos, retire do forno e reserve até esfriarem.
6. Monte os biscoitos. Passe o recheio em um dos biscoitos e cubra com outro, apertando delicadamente. Se preferir, utilize um saco de confeitar.

Deixe a castanha de caju crua de molho por aproximadamente 8 horas. Passado esse tempo, escorra e descarte a água. Você encontra o cremor de tártaro em lojas de artigos para confeitaria. Ele deixa o recheio mais sequinho, mas é opcional. Recheie os biscoitos no dia em que for servir; para ver como se faz, acesse o QR Code e eu te mostro!

foto p. 52

receita p. 50-51

receita p. 54-55

BISCOITO *de Natal*

RENDE **8 UNIDADES**

Inspirado no tradicional gingerbread, este biscoito é bem mais inclusivo mas não menos saboroso. O destaque fica por conta do glacê, cuja receita tradicional geralmente leva ovos em sua composição, mas nesta versão não contém produtos de origem animal e seca mais rápido do que o comum. Para transformar os biscoitos em pingentes como os da foto (p. 53), faça um furo na massa ainda crua com um canudinho. Depois de prontos, é só amarrar um barbante. Uma ótima opção para presentear.

massa

½ xícara de polvilho doce
½ xícara de farinha de arroz
1 colher (sopa) de farinha de linhaça
4 colheres (sopa) de farinha de castanha-do--pará (ver dica)
½ colher (chá) de gengibre em pó
½ colher (chá) de canela em pó
¼ de colher (chá) de cravo em pó
¼ de colher (chá) de noz-moscada em pó
uma pitada de sal
4 colheres (sopa) de melado de cana
1 colher (sopa) de óleo de coco derretido
1 a 2 colheres (sopa) de água

glacê

1 xícara de açúcar de confeiteiro
1 colher (chá) de fécula de batata ou amido de milho
¼ de colher (chá) de goma xantana
3 colheres (sopa) de suco de limão ou água
corante de gel (opcional)

1 Preaqueça o forno a 180 °C.
2 Comece pela massa. Em um recipiente, misture todos os ingredientes secos. Adicione o melado e o óleo e misture. Junte a água aos poucos, amassando com as mãos até formar uma bola.
3 Forre uma superfície com filme de PVC. Disponha a massa no meio e cubra com outro pedaço de filme de PVC. Abra a massa com um rolo, deixando com aproximadamente 5 mm de espessura.
4 Corte os formatos desejados e passe para uma assadeira virada de cabeça para baixo, utilizando a parte plana (sem as laterais) para que os biscoitos assem por igual. Asse por 15 a 20 minutos, até a massa ficar sequinha.
5 Enquanto isso, prepare o glacê. Em um recipiente, peneire o açúcar de confeiteiro. Adicione a fécula e a goma e misture bem. Despeje o suco de limão ou a água aos poucos, misturando com uma espátula, até obter a consistência desejada; se necessário, use mais líquido.
6 Se for usar o corante, divida o glacê de acordo com a quantidade de cores que for utilizar e misture.
7 Utilize um saco de confeiteiro para decorar os biscoitos depois que eles esfriarem completamente. Acesse o QR Code para ver como se faz.

Você pode fazer a farinha batendo as castanhas em um processador ou liquidificador. Caso queira apenas se deliciar sem pensar na apresentação, finalize a receita no passo 4, prepare uma xícara de chá e aproveite seus biscoitinhos. Não precisa nem esperar até dezembro!

foto p. 53

PALHA ITALIANA

RENDE **16 PORÇÕES**

250 g de biscoito integral doce ou maria
1 xícara de biomassa de banana verde (p. 138)
1 xícara de açúcar demerara
½ xícara de leite de coco concentrado (ver boxe p. 11)
½ xícara de cacau em pó
½ colher (chá) de goma xantana (ver dica)
óleo para untar

1. Forre o fundo e a lateral de uma assadeira de aproximadamente 20 x 27 cm com papel-manteiga de forma que o papel ultrapasse as bordas e unte com óleo.
2. Separe 50 g de biscoito, triture no liquidificador ou processador e reserve.
3. Coloque a biomassa, o açúcar, o leite de coco, o cacau e a goma xantana em uma panela e leve ao fogo baixo, mexendo sempre, até obter uma consistência firme, como a de brigadeiro tradicional. Desligue o fogo.
4. Para montar o doce, espalhe uma camada de brigadeiro, alisando a superfície com uma espátula. Cubra com uma camada de biscoitos lado a lado, sem sobrepor. Repita as camadas, terminando com o brigadeiro. Leve ao freezer por 1 hora.
5. Retire o doce do freezer. Puxe as bordas do papel-manteiga com cuidado para descolá-lo das laterais. Polvilhe a superfície com metade do biscoito triturado. Com o auxílio do papel, vire o doce sobre uma superfície plana e retire o papel da parte de baixo. Polvilhe com o restante do biscoito. Corte quadradinhos de 5 x 5 cm com o auxílio de uma faca afiada.

A goma xantana é opcional; se você usá-la, o brigadeiro vai ficar mais puxa-puxa. Acesse o QR Code para ver outra receita de brigadeiro com a biomassa.

MUFFIN DE AIPIM
com calda de coco

RENDE **10 A 12 MUFFINS**

Massa

1 xícara de mandioca crua cortada em cubos
1 xícara de leite de coco caseiro (ver boxe p. 11)
½ xícara de açúcar demerara
¼ de xícara de óleo de coco derretido
1 colher (chá) de vinagre de maça
1 colher (chá) de extrato de baunilha caseiro (p. 141)
1 xícara de farinha de arroz integral
½ xícara de coco ralado seco
2 colheres (sopa) de fécula de batata
1 colher (chá) de fermento químico em pó
uma pitada de sal
óleo para untar

Calda

½ xícara de leite de coco gelado concentrado (ver boxe p. 11)
1 colher (sopa) de açúcar de confeiteiro
¼ de colher (chá) de goma xantana
raspas da casca de 1 limão (opcional)

1. Preaqueça o forno a 210 °C e unte com óleo uma assadeira com capacidade para 12 muffins.
2. Em um processador ou liquidificador, bata a mandioca, o leite de coco, o açúcar, o óleo, o vinagre e o extrato de baunilha. Reserve.
3. Em uma tigela grande, coloque os ingredientes secos. Despeje a mistura líquida e mexa com um batedor de arame até obter uma massa homogênea.
4. Divida a massa entre as cavidades untadas da assadeira (use uma concha de sorvete ou uma colher grande). Asse por 25 a 30 minutos, ou até espetar um palito e ele sair seco. Retire do forno e espere esfriar para desenformar.
5. Para fazer a calda, coloque o leite de coco gelado na batedeira e bata em velocidade média, adicionando o açúcar aos poucos e por fim a goma. O leite ficará bem cremoso. Regue a calda sobre os bolinhos e salpique as raspinhas de limão.

Se não tiver tempo de preparar o leite de coco caseiro para a massa, use ½ xícara da versão industrializada diluída em ½ xícara de água.

QUADRADINHOS *de morango, banana e limão*

RENDE **8 QUADRADINHOS**

Massa

- óleo para untar
- ½ xícara de farinha de aveia
- ¼ de xícara de farinha de grão-de-bico
- ¼ de xícara de farinha de amêndoa
- 1 colher (sopa) de semente de linhaça
- 1 colher (chá) de fermento químico em pó
- 1 colher (chá) de raspas de casca de limão
- 1 banana amassada
- ¼ de xícara de água ou leite vegetal
- 1 colher (chá) de vinagre de maçã
- ½ colher (chá) de extrato de baunilha caseiro (p. 141)

Cobertura

- 3 colheres (sopa) de aveia em flocos grossos
- 2 colheres (sopa) de amêndoa
- 1 colher (sopa) de melado de cana
- ½ colher (sopa) de óleo de coco
- ¼ de xícara de geleia de morango e chia (p. 30)

1. Comece pela cobertura. Coloque todos os ingredientes, exceto a geleia, no processador e bata até obter uma farofa de textura grossa. Reserve na geladeira.
2. Preaqueça o forno a 180 °C e unte com óleo uma assadeira pequena.
3. Em um recipiente, misture todos os ingredientes secos da massa. Adicione a banana amassada, a água, o vinagre e a baunilha e misture até obter uma massa bem cremosa.
4. Despeje a massa na assadeira untada e alise a superfície com uma espátula. Espalhe sobre ela a geleia e depois a cobertura reservada.
5. Asse por 30 a 35 minutos, até a massa parecer bem sequinha. Se quiser dourar o topo, ligue a função grill do forno e deixe por aproximadamente 3 minutos, verificando sempre para não queimar. Espere esfriar e corte em quadrados. Conserve na geladeira e consuma em até 3 dias.

Chá da tarde

BISCOITO *à la cueca virada*

RENDE **16 BISCOITOS MÉDIOS**

óleo para untar
1 xícara de farinha de trigo integral
½ xícara de farinha de trigo branca + um pouco para amassar
½ xícara de açúcar demerara
1 colher (sopa) de farinha de linhaça
1 colher (sopa) de fermento químico em pó
1 colher (chá) de canela
½ colher (chá) de sal
200 ml de leite de coco concentrado (ver boxe p. 11)
½ colher (sopa) de vinagre de maçã
1 colher (chá) de açúcar demerara pulverizado (ver dica) para polvilhar
1 colher (chá) de canela em pó para polvilhar

O famoso docinho de padaria em versão assada, integral e bem mais saudável. Batizei de biscoito, pois ele fica sequinho e crocante. Perfeito para acompanhar um chá! Para pulverizar o açúcar demerara, basta bater no liquidificador até ficar bem fininho.

1. Preaqueça o forno a 180 °C e unte com óleo uma assadeira grande.
2. Em uma tigela grande, misture a farinha integral, a farinha branca, o açúcar, a farinha de linhaça, o fermento, a canela e o sal. Com uma espátula, abra uma cavidade no centro.
3. Misture o leite de coco e o vinagre e despeje essa mistura na cavidade dos ingredientes secos. Mexa até combinar todos os ingredientes e a massa começar a se formar.
4. Transfira a massa para uma bancada polvilhada com farinha de trigo branca. Amasse até obter uma massa lisa, juntando mais farinha se necessário.
5. Com a ajuda de um rolo, abra a massa até formar um retângulo com cerca de 5 mm de espessura. Corte a massa em 16 retângulos. Com a ponta da faca, faça um corte de 4 cm no centro dos retângulos no sentido do comprimento. Com cuidado, passe uma das pontas por dentro desse corte, criando o formato da cueca virada. Se quiser ver como se faz, acesse o QR Code.
6. Disponha os biscoitos na assadeira dando um pouco de espaço entre eles. Asse por 20 a 25 minutos, até que a parte de baixo comece a dourar. Para dourar em cima, você pode virá-los e deixar por mais 5 minutos ou ligar a função grill do forno. Nesse caso, fique de olho no tempo: 2 a 3 minutos são suficientes! Retire do forno, espere amornar e polvilhe com açúcar e canela.

BOLO DE TANGERINA
com calda de limão

RENDE **12 A 15 FATIAS**

massa

óleo para untar
1 maçã sem casca e sem sementes picada
½ xícara de suco de tangerina
½ xícara de açúcar demerara
¼ de xícara de óleo de coco derretido
½ colher (sopa) de vinagre de maçã
1 xícara de farinha de arroz integral
½ xícara de quinoa em flocos
2 colheres (sopa) de fécula de batata
raspas da casca de 1 tangerina
1 colher (sopa) de fermento químico em pó

calda

⅓ de xícara de açúcar demerara
suco de 1 limão

1. Preaqueça o forno a 180 °C e unte com óleo uma fôrma com furo no meio.
2. Coloque a maçã, o suco de tangerina, o açúcar, o óleo de coco e o vinagre no liquidificador e bata até ficar homogêneo. Junte a farinha, a quinoa e a fécula e bata novamente, até tudo se misturar.
3. Por último, adicione as raspas e o fermento. Bata mais um pouco até misturar bem. A massa vai começar a crescer dentro do copo do liquidificador, é normal!
4. Despeje na fôrma untada e asse por 30 minutos, ou até espetar um palito e ele sair seco. Retire do forno e espere esfriar para desenformar.
5. Enquanto isso, prepare a calda de limão. Bata o açúcar no liquidificador até que ele fique fino. Transfira para uma panela e junte o suco de limão. Leve ao fogo médio e cozinhe até ferver, mexendo para ficar mais viscoso. Regue o bolo morno com essa calda antes de servir.

Use maçã gala ou fuji. Faça as raspas da casca da tangerina, cuidando para não retirar a parte branca.

BROWNIE *marmorizado*

RENDE **10 PEDAÇOS**

óleo para untar
¾ de xícara de farinha de arroz integral
½ xícara de cacau em pó
⅓ de xícara de fécula de batata
⅓ de xícara de polvilho doce
1 colher (chá) de goma xantana
¼ de colher (chá) de bicarbonato de sódio
uma pitada de sal
1¼ xícara de açúcar demerara
½ xícara + 2 colheres (sopa) de água
1 colher (chá) de extrato de baunilha caseiro (p. 141)
½ xícara de óleo de coco derretido
¼ de xícara de chocolate sem leite 70% cacau picado ou em gotas
3 colheres (sopa) de pasta de amendoim cremosa (ver boxe p. 11)

Casquinha crocante e interior bem cremoso. Este brownie virou minha receita favorita! Utilize chocolate e cacau de qualidade e você terá um resultado ainda melhor

1. Preaqueça o forno a 250 °C. Unte com óleo ou forre com papel-manteiga uma fôrma pequena.
2. Em uma tigela, misture os ingredientes secos, exceto o açúcar, e reserve.
3. Em outro recipiente, misture o açúcar, a água e a baunilha e deixe os cristais dissolvendo por 4 minutos. Pode ser que não dissolvam completamente, mas não tem problema.
4. Despeje a mistura de água e açúcar na tigela dos ingredientes secos e junte o óleo de coco. Misture com o batedor de arame até obter uma massa espessa e homogênea. Adicione o chocolate picado e misture novamente.
5. Transfira a massa para a assadeira untada e alise a superfície com a espátula. Dê umas batidinhas na bancada para retirar qualquer bolha de ar que tenha se formado.
6. Com a pasta de amendoim, faça 6 pontos de ½ colher (sopa) cada sobre a massa e desenhe espirais com a ajuda de um palito de dente ou com a ponta da faca.
7. Asse por 15 minutos, ou até espetar um palito e ele sair um pouco sujo, mas não muito. Se a massa ainda estiver muito molhada, deixe mais 5 minutos. Se ela ainda não estiver no ponto depois de 20 minutos, reduza a temperatura para 180 °C e deixe por mais 7 minutos, no máximo. Aguarde esfriar completamente antes de cortar.

CHOCOTONE
com cranberry e pistache

RENDE **2 UNIDADES PEQUENAS**

Não vou mentir: o preparo desta receita não é rápido nem prático, mas o resultado valerá cada segundo do seu trabalho. Além de levar farinhas integrais, o que torna este chocotone mais nutritivo que os demais, esta delícia traz o aroma da laranja, a intensidade do chocolate 60% cacau, o azedinho da cranberry e a crocância do pistache. Ficou com água na boca? Eu também!

esponja

½ xícara de farinha de trigo branca
5 g de fermento biológico seco instantâneo
¼ de xícara de água morna

Quem disse que a gente só pode comer chocotone no Natal? Esta receita vai bem em qualquer época do ano. Você nunca mais vai querer saber de outro chocotone!

chocotone

1 colher (sopa) de farinha de linhaça + 3 colheres (sopa) de água
2 colheres (sopa) de óleo de coco derretido + um pouco para untar
1 xícara de farinha de trigo integral
½ xícara de farinha de trigo branca
2½ colheres (sopa) de açúcar demerara
¼ de colher (chá) de sal
¼ de xícara de água morna
½ colher (sopa) de raspas de casca de laranja
1 colher (chá) de extrato de baunilha caseiro (p. 141)
½ xícara de chocolate sem leite 60% cacau em gotas ou picado + um pouco para decorar
½ xícara de pistache sem casca + um pouco para decorar
¼ de xícara de cranberries desidratadas

1 Comece fazendo a esponja: em uma tigela grande misture a farinha, o fermento e a água até formar uma pasta espessa. A água não pode estar muito quente, pois acaba matando o fermento. Mergulhe seu dedo na água, se conseguir manter sem problemas a temperatura está boa. Cubra essa pasta com filme de PVC e deixe crescer por 30 minutos, de preferência em um local mais abafado – pode ser dentro do forno desligado.

2 Em uma tigela pequena, misture a farinha de linhaça com as 3 colheres (sopa) de água e reserve; vai se formar um gel. Unte com óleo de coco duas fôrmas de papel para panetone com capacidade de 350 g.

3 Na tigela da batedeira, misture as farinhas, o açúcar e o sal. Adicione o gel de linhaça reservado, a água morna, as raspas de laranja e o extrato de baunilha e misture bem com uma espátula. Junte o óleo de coco aos poucos, incorporando tudo até formar uma massa pegajosa. Coloque o batedor gancho e bata por 10 minutos; se sua batedeira não tiver esse apetrecho, sove manualmente.

4 Passe para uma bancada enfarinhada e abra a massa com as mãos, formando um disco. Espalhe o chocolate, o pistache e as cranberries. Feche todas as pontas em direção ao centro e sove mais um pouco, até que tudo se misture bem.

5 Divida a massa em duas partes e coloque dentro das forminhas de papel. Pincele com óleo de coco, cubra com um pano de prato grosso (ou dois, se preciso) e deixe crescer por aproximadamente 2 horas. Disponha o chocolate e o pistache reservados por cima, pressionando-os levemente contra a massa.

6 Preaqueça o forno a 200 °C por 15 a 20 minutos. Coloque os chocotones sobre as grades do forno e uma assadeira com 1 xícara de água no assoalho. A água vai evaporar enquanto os chocotones assam e ajudará a manter a umidade da massa.

7 Asse por 30 a 35 minutos. O teste do ponto do chocotone é como o de pão: com um pano, levante um deles e bata com a mão fechada no fundo. Se fizer um barulho oco, está pronto. Deixe os chocotones esfriando sobre uma grade antes de cortar.

foto p. 72

receita p. 70-71

receita p. 74-75

CUCA DE *banana integral*

RENDE **10 CUCAS INDIVIDUAIS**

A Kuchen é uma receita alemã que chegou ao Brasil por meio dos imigrantes que, em grande parte, instalaram-se na Região Sul. Em terras tupiniquins, o nome desta delícia virou "cuca", e a de banana sempre foi um dos bolos favoritos na minha família. Seu sabor me remete à infância e ela não poderia ficar de fora deste livro.

farofa

½ xícara de farinha de trigo integral
2 colheres (sopa) de açúcar demerara
2 colheres (sopa) de semente de girassol
1 colher (chá) de canela em pó
¼ de xícara de óleo de coco em textura de pasta

massa

1 xícara de farinha de trigo integral
½ xícara de farinha de semente de girassol (ver dica)
½ xícara de açúcar demerara
1 colher (sopa) de fécula de batata
1 colher (sopa) de fermento químico em pó
¼ de colher (chá) de sal
¼ de colher (chá) de canela em pó
2 bananas-caturras sem casca amassadas (ver dica)
½ xícara de água
¼ de xícara de óleo de coco derretido
½ colher (sopa) de vinagre de maçã
2 bananas-caturras cortadas em rodelas

1 Comece pela farofa. Em um recipiente, misture todos os ingredientes secos. Adicione o óleo aos poucos; o ideal para a farofa é utilizar o óleo de coco na textura de manteiga: nem líquido nem completamente sólido. Mexa com a ponta dos dedos até obter uma textura empelotada. Deixe na geladeira enquanto prepara a massa.
2 Preaqueça o forno a 180 °C e disponha 10 minifôrmas de bolo inglês em uma assadeira.
3 Em um recipiente grande, misture bem todos os ingredientes secos. Em outra tigela, coloque a banana amassada, a água, o óleo e o vinagre em uma tigela e mexa bem. Despeje a mistura úmida sobre os ingredientes secos e volte a misturar, formando uma massa cremosa e homogênea.
4 Preencha as forminhas com a massa até a metade. Disponha as rodelas de banana sobre a massa. Retire a farofa da geladeira e espalhe sobre os bolinhos.
5 Asse por aproximadamente 30 minutos, ou até espetar um palito e ele sair seco. Se quiser dourar um pouco o topo dos bolinhos, ligue o grill do forno e deixe por 3 minutos, verificando sempre para não queimar! Espere esfriar e sirva.

Bata a semente de girassol no processador até virar uma farinha, mas não deixe muito fina: a textura pode ser parecida com a da farinha de trigo integral. Você encontra as minifôrmas de bolo inglês em casas de produtos de confeitaria. Se preferir, pode fazer em uma assadeira retangular tradicional.
A banana-caturra também é chamada de banana-nanica ou banana-anã.

foto p. 73

BOLO DE FUBÁ
de caneca

RENDE **1 BOLINHO**

4 colheres (sopa) de leite de coco caseiro (ver boxe p. 11)
1 colher (sopa) de farinha de linhaça
1 colher (sopa) de óleo de coco
3 colheres (sopa) de fubá
1 colher (sopa) de açúcar demerara
¼ de colher (chá) de vinagre de maçã
uma pitada de sal
½ colher (chá) de fermento químico em pó
canela em pó para decorar

1. Em uma caneca ou xícara que possa ir ao micro-ondas, coloque o leite de coco e a farinha de linhaça. Deixe de lado enquanto separa os demais ingredientes.
2. Junte o óleo de coco, o vinagre e todos os ingredientes secos, deixando o fermento por último. Misture tudo com um batedor de arame ou um garfo, coloque no microondas e asse por 2 minutos em potência alta.
3. Retire com cuidado, estará bem quente. Polvilhe a canela e devore!

Para esta receita, a máxima "quem tem pressa come cru" não cola! Este bolinho é muito rápido de fazer. Caso utilize o leite de coco industrializado, use apenas 2 colheres (sopa) diluídas em 2 colheres (sopa) de água. Esta receita também pode ser assada em forno comum, por 15 minutos a 180 °C (ou até espetar um palito no meio da massa e ele sair seco). Se você gostar da experiência de fazer bolo na caneca, acesse o QR Code para ver outra receita maravilhosa!

BOLO DE COCO

RENDE **10 FATIAS**

massa

1 xícara de farinha trigo integral
½ xícara de farinha de trigo
½ xícara de coco ralado seco fino (ver dica)
2 colheres (sopa) de farinha de linhaça
¾ de xícara de açúcar demerara
1 colher (sopa) de fermento químico em pó
uma pitada de sal
1¼ xícara de leite de coco caseiro (ver boxe p. 11)
¼ de xícara de óleo de coco derretido
½ colher (sopa) de vinagre de maçã

calda

1 xícara de leite de coco concentrado (ver boxe p. 11)
2 colheres (sopa) de açúcar demerara
½ colher (chá) de goma xantana (opcional)
coco ralado tostado para decorar

1. Preaqueça o forno a 180 °C e unte com óleo uma assadeira de 20 x 27 cm.
2. Em uma vasilha, misture todos os ingredientes secos. Adicione o leite de coco, o óleo de coco e o vinagre e misture até obter uma massa espessa.
3. Despeje na assadeira e asse por 35 a 40 minutos, ou até inserir um palito no centro do bolo e ele sair seco.
4. Enquanto isso, misture todos os ingredientes da calda e bata com a ajuda de um batedor de arame para incorporar o ar. Caso queira que a calda seja absorvida pelo bolo, não é necessário adicionar a goma xantana. Sirva o bolo com a calda e salpique coco tostado por cima.

Se o coco ralado não estiver bem fino, bata no liquidificador até ficar quase uma farinha. Se não tiver tempo de preparar o leite de coco caseiro, substitua por ½ xícara de leite de coco industrializado diluído em ¾ de xícara de água.

NAKED CAKE
de chocolate

RENDE **12 A 15 FATIAS**

Este bolo é daqueles que roubam a cena em qualquer comemoração. Além de lindo, tem um sabor intenso de chocolate que não é nem um pouco enjoativo e fecha bem qualquer refeição. A massa fica úmida e aerada, e a ganache tem textura de trufa. As frutas vermelhas conferem acidez e tornam o sabor ainda mais complexo. Não deixe de tentar em casa!

massa

- 3 colheres (sopa) de farinha de linhaça + 2 colheres (sopa) de água morna
- 1 xícara de farinha de trigo integral
- ½ xícara de cacau em pó
- 1 colher (chá) de bicarbonato de sódio
- ½ colher (chá) de fermento químico em pó
- ¼ de colher (chá) de sal
- ½ xícara de leite vegetal
- ½ xícara de café forte morno
- ½ xícara de água morna
- 1 colher (chá) de vinagre de maçã
- 1 colher (chá) de extrato de baunilha caseiro (p. 141)
- ½ xícara + 2 colheres (sopa) de açúcar demerara
- ⅓ de xícara de óleo de coco derretido

ganache

- 2 xícaras (300 g) de chocolate sem leite picado
- ⅓ de xícara de leite de aveia caseiro
- 1 colher (chá) de óleo de coco derretido
- frutas variadas para decorar

1 Preaqueça o forno a 180 °C e unte duas fôrmas redondas de 15 cm de diâmetro e fundo falso. Em uma tigelinha, misture a farinha de linhaça com a água morna e reserve.
2 Em uma tigela grande, misture todos os ingredientes secos, exceto o açúcar. Em outra tigela, misture os líquidos, o açúcar e a linhaça reservada. Despeje a mistura úmida sobre os ingredientes secos e misture com um batedor de arame até obter uma massa homogênea.
3 Divida a massa entre as duas fôrmas e leve para assar por 50 minutos a 1 hora, ou até inserir um palito no meio e ele sair quase seco. Essa massa é bem úmida, portanto não tem problema se o palito ficar com um pouco de resíduo. Retire do forno e espere esfriar para rechear.
4 Enquanto isso, prepare a ganache. Derreta o chocolate em banho-maria: coloque o chocolate em uma tigela refratária, encaixe-a na boca de uma panela com um pouco de água sem deixar que a água encoste no fundo da tigela. Leve esse conjunto ao fogo baixo, mexendo o chocolate até derreter. Retire do fogo. Aqueça um pouco o leite de aveia e despeje em fio sobre o chocolate, batendo vigorosamente com um batedor de arame ou um mixer elétrico. Adicione o óleo e continue batendo, até obter um creme viscoso e brilhante.
5 Desenforme um dos bolos e espalhe metade da ganache sobre ele. Um bico de confeiteiro e uma espátula podem ser grandes aliados neste momento! Coloque o outro bolo sobre a camada de recheio e finalize com a outra metade da ganache. Decore com as frutas de sua preferência.

No início do preparo da ganache o chocolate pode talhar e parecer que não vai dar nada certo, mas mantenha a calma e continue batendo até obter a consistência desejada. Caso more em um lugar com clima mais frio, a ganache pode ficar levemente endurecida por causa do óleo de coco. Nesse caso, amorne-a levemente e volte a bater para recuperar a consistência. Pelo mesmo motivo, não guarde este bolo na geladeira: o óleo de coco fica duro em temperaturas mais baixas, o que pode deixar sua ganache com uma textura esquisita. Se preferir não rechear, asse em uma fôrma de 20 cm e despeje a ganache por cima. Ficará tão delicioso quanto!

foto p. 82

receita p. 80-81

receita p. 84-85

PÃO DE MELADO
com recheio de doce de leite

RENDE **12 UNIDADES**

Uma massa fofinha com sabor de especiarias, recheada com doce de leite com toque de baunilha e coberta com chocolate amargo. Vamos combinar que não tem como não ficar maravilhoso! Chame a família, os amigos, cachorro, gato e papagaio porque esta receita merece ser compartilhada.

massa

óleo para untar
½ xícara de farinha de trigo integral
¼ de xícara de farinha de trigo branca
¼ de xícara de farinha de linhaça
¼ de xícara de cacau em pó
1 colher (chá) de fermento químico em pó
½ colher (chá) de bicarbonato de sódio
1 colher (chá) de canela em pó
½ colher (chá) de noz-moscada em pó
¼ de colher (chá) de cravo em pó
uma pitada de sal
1 xícara de leite vegetal
½ xícara de melado de cana

recheio e cobertura

½ receita de doce de leite vegetal (p. 37) para rechear
1½ xícara de chocolate sem leite 70% cacau picado para cobrir

Se você não tiver a fôrma de muffins, pode utilizar uma assadeira retangular (20 x 25 cm) e depois cortar a massa em quadradinhos. Este pão de melado combina superbem com um chocolate quente, e no blog tem uma receita ótima. Vai lá usando o QR Code!

1. Preaqueça o forno a 200 °C e unte com óleo uma fôrma de muffins com 12 cavidades.
2. Em uma tigela grande, peneire as farinhas e em seguida misture todos os outros ingredientes secos. Em outro recipiente, combine bem o leite e o melado. Despeje essa mistura sobre os secos e mexa com uma espátula até virar uma massa cremosa.
3. Distribua a massa nas cavidades da fôrma. Asse por 30 a 45 minutos, ou até um palito inserido no centro dos bolinhos sair seco. Retire do forno e deixe esfriar antes de desenformar.
4. Corte cada bolinho ao meio e espalhe o doce de leite em uma das partes, cuidando para não acumular nas bordas. Coloque a outra metade por cima e pressione, fazendo com que o doce espalhe bem e grude as duas partes. Leve ao freezer por 15 minutos para firmar e facilitar cobrir com o chocolate.
5. Enquanto isso, derreta o chocolate em banho-maria: coloque o chocolate em uma tigela refratária, encaixe-a na boca de uma panela com um pouco de água sem deixar que a água encoste no fundo da tigela. Leve esse conjunto ao fogo baixo, mexendo o chocolate até derreter.
6. Forre uma assadeira com papel-manteiga. Retire os bolinhos do freezer e banhe-os, um a um, no chocolate derretido, pescando-os com garfos para escorrer o excesso. Passe para a fôrma forrada e coloque-os na geladeira para a cobertura endurecer.

foto p. 83

Sobremesas

TROUXINHAS DE VERÃO
com quinoa e frutas

RENDE **5 TROUXINHAS**

¾ de xícara de leite de coco caseiro (ver boxe p. 11)
¼ de xícara de quinoa em grãos
2 colheres (sopa) de coco ralado
algumas gotas de extrato de baunilha caseiro (p. 141)
estévia a gosto (opcional)
frutas frescas variadas (por exemplo, manga, morango, kiwi)
5 folhas de papel de arroz
folhas de hortelã para decorar

Estas trouxinhas lindas são feitas de papel de arroz, um ingrediente muito comum na cozinha oriental. Normalmente é utilizado para preparos salgados, contendo vegetais e folhas. A versão Fru-fruta leva quinoa com coco, frutas frescas e fica uma delícia! Você encontra o papel de arroz em lojas de produtos orientais. Se não tiver tempo de preparar o leite de coco caseiro, use ½ xícara de leite de coco industrializado diluído em ¼ de xícara de água.

1. Coloque o leite de coco, a quinoa, o coco ralado, o extrato de baunilha e a estévia em uma panela. Leve ao fogo baixo e cozinhe por 15 minutos, mexendo de vez em quando. Desligue o fogo e espere esfriar.
2. Enquanto isso, descasque e fatie as frutas. Reserve.
3. Escolha uma vasilha grande o suficiente para caber a folha de arroz e encha até a metade com água morna. Mergulhe uma folha de arroz de cada vez na água e espere 3 segundos. Retire-a e passe para uma superfície limpa.
4. No centro da folha, no sentido do comprimento, disponha as frutas fatiadas e as folhas de hortelã. Cubra as frutas com a quinoa cozida. Não coloque muito, uma ou duas colheradas já é suficiente.
5. Para fechar as trouxinhas, primeiro puxe a parte superior da folha de arroz e dobre em direção ao centro. Faça o mesmo com a parte inferior, em seguida dobre os lados. As extremidades vão se grudar e selar a trouxinha.
6. Se quiser, sirva com agave, melado de cana ou xarope de bordo.

SORVETE DE AMENDOIM
com farofa crocante

RENDE **6 PORÇÕES**

leite de amendoim

1 xícara de amendoim cru
3 xícaras de água

sorvete

1½ xícara de castanha de caju crua demolhada (ver dica)
1 xícara de leite de amendoim
¼ de xícara de pasta de amendoim (ver boxe p. 11)
¼ de xícara de xarope de agave ou melado de cana (ver dica)
¼ de xícara de açúcar demerara
1 colher (chá) de extrato de baunilha caseiro (p. 141)
1 colher (chá) de canela em pó
uma pitada de sal

farofa

½ xícara de amendoim
½ colher (sopa) de açúcar demerara

1 Deixe o amendoim de molho em água por, no mínimo, 8 horas. Passado esse tempo, escorra e descarte a água. Transfira o amendoim para o liquidificador e despeje a água filtrada. Bata até obter um líquido esbranquiçado. Coe com a ajuda de um pano de prato limpo ou voal. Separe 1 xícara para esta receita e guarde o restante na geladeira por até 5 dias.
2 Coloque todos os ingredientes no liquidificador e bata até obter um creme homogêneo. Se preferir, coloque-os em uma tigela e bata com um mixer elétrico.
3 Transfira a mistura para a máquina de sorvete e siga as instruções do fabricante. Caso não tenha máquina, despeje a mistura em um recipiente e leve ao freezer. Passadas 2 horas, bata a mistura para quebrar os cristais de gelo e congele novamente. Repita o procedimento até ficar com a consistência desejada.
4 Para fazer a farofa, bata o amendoim e o açúcar em um processador. Sirva sobre o sorvete.

Deixe as castanhas de caju de molho por, no mínimo, 8 horas. Passado esse tempo, escorra-as e descarte a água. Caso utilize uma máquina de sorvete, coloque o compartimento no freezer na noite anterior. Se optar pelo melado de cana, o sorvete ficará um pouco mais escuro, mas igualmente delicioso. Toste ligeiramente o resíduo do leite para obter uma farofa que também pode ser servida sobre o sorvete.

MINIPUDINS
de doce de leite

RENDE **5 MINIPUDINS**

pudim

3½ xícaras do leite vegetal da sua preferência

1 xícara de doce de leite vegetal (p. 37)

1 colher (chá) de ágar-ágar (ou 1 sachê de 4 g)

2 colheres (chá) de amido de milho

calda

½ xícara de chocolate sem leite picado

4 colheres (sopa) de leite de coco concentrado (ver boxe p. 11)

Se quiser, sirva com frutas frescas e decore com lascas de coco queimado. Você também pode fazer este pudim em uma fôrma grande. Se as forminhas não forem antiaderentes ou de silicone, unte com óleo de coco antes de despejar a massa.

1 Prepare o pudim. Em uma panela grande, misture todos os ingredientes até incorporá-los bem. Leve ao fogo médio-baixo e mexa até ferver. Cozinhe por 2 minutos depois que levantar fervura, mexendo sempre. Desligue o fogo.

2 Divida entre as forminhas e leve à geladeira por, no mínimo, 3 horas.

3 Para fazer a cobertura, derreta o chocolate em banho-maria: coloque o chocolate em uma tigela refratária, encaixe-a na boca de uma panela com um pouco de água sem deixar que a água encoste no fundo da tigela. Leve esse conjunto ao fogo baixo, mexendo o chocolate até derreter. Misture o leite de coco até ficar homogêneo. Sirva sobre os pudins já gelados.

PETIT GÂTEAU RECHEADO
com pasta de amendoim e chocolate

RENDE **6 BOLINHOS**

massa

óleo de coco e fécula de batata para untar
¼ de xícara de farinha de arroz integral
¼ de xícara de fécula de batata
¼ de xícara de pasta de amendoim (ver boxe p. 11)
¼ de xícara de açúcar demerara
¼ de xícara + 2 colheres (sopa) de água
½ colher (chá) de extrato de baunilha caseiro (p. 141)
½ colher (chá) de fermento químico em pó
uma pitada de sal

recheio

2 colheres (sopa) de chocolate sem leite 60% cacau picado
2 colheres (sopa) de pasta de amendoim (ver boxe p. 11)

1. Preaqueça o forno a 250 °C. Unte com óleo e polvilhe fécula em 6 forminhas para empada de metal ou silicone.
2. Comece pelo recheio. Derreta o chocolate em banho-maria: coloque o chocolate em uma tigela refratária, encaixe-a na boca de uma panela com um pouco de água sem deixar que a água encoste no fundo da tigela. Leve esse conjunto ao fogo baixo, mexendo o chocolate até derreter. Retire do fogo e junte a pasta de amendoim. Mexa até que os ingredientes se incorporem e reserve.
3. Em outra tigela, coloque todos os ingredientes da massa e misture até ficar homogêneo. Encha ¼ das forminhas com a massa. No centro de cada um dos bolinhos, coloque 1 colher (chá) da mistura de chocolate e pasta de amendoim. Complete com mais massa, até preencher ¾ das forminhas.
4. Asse por 5 a 8 minutos; o centro do bolinho não vai assar completamente, deve ficar mole. Retire do forno e sirva ainda morno. Se quiser uma sobremesa ainda mais extravagante, sirva com uma bola de sorvete.

O tempo certo é essencial para que o meio do bolinho fique cremoso e vai depender do seu forno. O petit gâteau fica com o centro cru, portanto fique de olho quando as bordas começarem a firmar. Talvez você não acerte de primeira, mas continue tentando até pegar o jeito do forno. As chances de acertar o ponto são maiores se utilizar um forno elétrico, cujo calor irradia tanto em cima quanto embaixo do bolinho.

MUSSE DE *chocolate amargo*

RENDE **4 PORÇÕES**

1 xícara de chocolate sem leite 70% cacau picado
4 colheres (sopa) de leite de coco concentrado (ver boxe p. 11)
1 colher (chá) de café solúvel
1 colher (chá) de raspas de casca de laranja
2 xícaras de merengue de aquafaba (p. 137)

A textura leve desta musse é garantida pelo merengue de aquafaba. A complexidade do sabor vem da combinação do chocolate amargo com o café e as raspas de laranja. Uma sobremesa aveludada e deliciosa!

1. Derreta o chocolate em banho-maria: coloque o chocolate em uma tigela refratária, encaixe-a na boca de uma panela com um pouco de água sem deixar que a água encoste no fundo da tigela. Leve esse conjunto ao fogo baixo, mexendo o chocolate até derreter.
2. Retire do fogo e junte o leite de coco até ficar homogêneo. Adicione o café e as raspas de laranja e mexa. Adicione o merengue de aquafaba e misture delicadamente, fazendo movimentos circulares de baixo para cima, até ficar homogêneo.
3. Divida a musse em taças e leve à geladeira por, no mínimo, 4 horas antes de servir. Sirva gelado.

STAUB
STAUB

CRUMBLE DE MAÇÃ VERDE
e mirtilo com amêndoa caramelizada

RENDE **4 PORÇÕES**

frutas

1 maçã verde sem casca e sem sementes picada
⅓ de xícara de mirtilos frescos ou descongelados
½ colher (chá) de canela em pó
suco de ½ limão

farofa

½ xícara de aveia em flocos médios
½ xícara de farinha de castanha de caju ou de amêndoa (ver dica)
2 colheres (sopa) de óleo de coco derretido
1 colher (sopa) de açúcar demerara
1 colher (sopa) de melado de cana
¼ de colher (chá) de noz-moscada em pó
¼ de colher (chá) de cravo em pó
uma pitada de sal

amêndoa caramelizada

2 colheres (sopa) de açúcar demerara
3 colheres (sopa) de amêndoa crua picada

1 Coloque a maçã, os mirtilos, a canela e o suco de limão em uma tigela e misture. Em outra tigela, junte todos os ingredientes da farofa e misture com a ponta dos dedos até obter uma textura grossa.
2 Divida a mistura de fruta entre 4 ramequins e cubra com a farofa. Leve ao forno a 180 °C e asse por 30 minutos.
3 Enquanto isso, prepare a amêndoa caramelizada. Coloque o açúcar em uma panelinha e leve ao fogo baixo. Quando derreter, junte a amêndoa e misture bem, envolvendo-a no caramelo. Desligue o fogo. Espalhe-a sobre uma assadeira forrada com papel-manteiga, separando bem, e deixe esfriar.
4 Retire os crumbles do forno e espere amornar. Antes de servir, salpique a amêndoa caramelizada por cima.

Para fazer a farinha de castanha de caju ou amêndoa é só batê-las no liquidificador.

FRUTAS EM CALDA
com hortelã e baunilha

RENDE **6 PORÇÕES**

- 4 xícaras de água
- 1½ xícara de açúcar demerara
- 2 ramos de hortelã
- raspas da casca de ½ limão
- 1 fava de baunilha
- 6 nêsperas maduras sem caroço cortadas ao meio
- 4 pêssegos maduros

Se preferir os pêssegos sem pele, faca um pequeno corte em "x" na parte inferior das frutas. Depois de cozidas, puxe a pele para retirá-la.

1. Em uma panela de bordas altas, coloque a água, o açúcar, um ramo de hortelã e as raspas de limão e leve ao fogo médio. Cozinhe até que todo o açúcar se dissolva.
2. Enquanto isso, abra a fava de baunilha ao meio no sentido do comprimento, raspe as sementinhas e coloque tudo dentro da panela, inclusive a fava.
3. Coloque as nêsperas e os pêssegos dentro da panela. Reduza para fogo baixo e cozinhe por 10 minutos ou até as frutas ficarem macias.
4. Sirva as frutas mornas ou frias, decoradas com um ramo de hortelã.

STAUB
STAUB

TORTA CREMOSA
de maracujá com base de brownie

RENDE **6 FATIAS**

massa

½ xícara de farinha de aveia
¼ de xícara de polvilho doce
2 colheres (sopa) de cacau em pó
1 colher (sopa) de farinha de linhaça
uma pitada de sal
¼ de xícara de melado de cana
2 colheres (sopa) de água
2 colheres (sopa) de azeite ou óleo vegetal

recheio e cobertura

5 maracujás
1 xícara de castanha de caju crua demolhada (ver dica)
¾ de xícara de leite de coco concentrado (ver boxe p. 11)
¼ de xícara de açúcar demerara
½ colher (chá) de ágar-ágar

Deixe as castanhas de molho em água por, no mínimo, 6 horas. Passado esse tempo, escorra e descarte a água.

1. Preaqueça o forno a 180 °C e unte uma fôrma de fundo removível de 13 cm.
2. Comece pela massa. Em uma tigela, misture todos os ingredientes secos. Adicione o melado, a água e o azeite e misture novamente até obter uma massa espessa.
3. Espalhe a massa com os dedos pelo o fundo e pela lateral da fôrma, pressionando para firmar bem e tomando o cuidado de não deixar nenhum buraquinho.
4. Asse por 10 a 15 minutos até ficar com a textura de brownie. Reserve até esfriar.
5. Agora, prepare o recheio. Passe a polpa de 4 maracujás por uma peneira e meça o suco: você vai precisar de ½ xícara. Reserve a polpa do último maracujá para decorar.
6. Coloque o suco e os demais ingredientes do recheio no liquidificador e bata até obter um creme homogêneo. Transfira esse creme para uma panela e leve ao fogo baixo. Cozinhe, mexendo sempre, até ferver. Continue mexendo por mais 1 ou 2 minutos, para ativar o ágar-ágar.
7. Despeje o recheio sobre a massa já resfriada e leve à geladeira por, no mínimo, 3 horas – ou até ficar bem gelado. Na hora de servir, espalhe a polpa de maracujá reservada por cima.

TORTA BANOFFEE
com merengue de macadâmia

RENDE **10 FATIAS**

A Banoffee é uma torta de origem inglesa, composta basicamente de massa amanteigada, caramelo toffee, banana e chantili. Aqui essa iguaria ganhou uma versão alternativa feita com massa de grão-de-bico, doce de leite vegetal e merengue de macadâmia. Uma opção sem glúten e sem lactose, mas com muito sabor!

massa

1 xícara de grão-de-bico cozido sem sal (ver dica)
1 xícara de aveia em flocos
4 colheres (sopa) de leite de coco concentrado gelado (ver boxe p. 11)
4 colheres (sopa) de açúcar demerara
½ colher (chá) de canela em pó
uma pitada de sal

merengue

½ xícara de macadâmia demolhada (ver dica)
2 colheres (sopa) de água
1 fava de baunilha
1 xícara de merengue de aquafaba (p. 137)
cacau ou canela em pó para polvilhar

recheio

1 receita de doce de leite vegetal (p. 37)
4 a 5 bananas-caturras sem casca (ver dica)

1 Preaqueça o forno a 180 °C e unte uma fôrma de fundo removível de 24 cm.
2 Bata todos os ingredientes da massa no processador até formar uma bola. Transfira para a fôrma e abra com os dedos, forrando o fundo e a lateral. Como se trata de uma massa sem glúten e sem farinha, não é necessário deixar muito fina.
3 Asse por 20 minutos, até as bordas começarem a dourar. Não deixe passar do tempo, pois a massa pode rachar. Retire do forno e espere esfriar.
4 Enquanto isso, prepare o merengue. Coloque a macadâmia e a água no processador. Abra a fava de baunilha ao meio no sentido do comprimento, raspe as sementinhas com uma faca e coloque também no processador. Bata até formar um creme espesso.
5 Passe para uma tigela e incorpore o merengue delicadamente, formando um creme fofo.
6 Para montar a torta, espalhe o doce de leite sobre a massa já resfriada. Disponha as bananas – usei a fruta inteira, sem picar – em círculo dentro do doce de leite. Cubra com o merengue e deixe na geladeira até a hora de servir.

Esta receita da famosa torta banoffee leva grão-de-bico em duas versões: cozido, na massa e na versão aquafaba, que é a água de cozimento do grão. Se você não tiver esse líquido congelado ou pronto para preparar o merengue, comece o processo cozinhando o grão-de-bico. Deixe o líquido gelando, espere o grão-de-bico cozido amornar e prepare a massa. Quando colocar a massa no forno, pode começar a bater o merengue, como explicado na página 137. Deixe a macadâmia de molho da noite para o dia ou cozinhe-a em água fervente por aproximadamente 10 minutos. Se não for consumir a torta no mesmo dia, deixe para preparar o merengue de macadâmia só na hora de servir. A banana-caturra também é conhecida como banana-nanica ou banana-anã.

foto p. 106

receita p. 104-105

receita p. 108-109

TORTINHA INTEGRAL
de maçã com pecãs

RENDE **3 A 4 TORTINHAS**

Além de um visual arrebatador e um sabor delicioso, estas tortinhas têm um perfume que vão invadir a sua casa! Maçã, canela, nozes-pecãs e especiarias: a receita combina esses ingredientes perfeitamente e fica ainda melhor nos dias fresquinhos de outono com um bom café ou uma xícara de chá. Para transformá-la em uma sobremesa exuberante, sirva com uma bola de sorvete.

massa

¾ de xícara de farinha de trigo integral
3 colheres (sopa) de farinha de trigo
1 colher (sopa) de açúcar demerara
½ colher (chá) de canela em pó
¼ de colher (chá) de cravo em pó
¼ de colher (chá) de noz-moscada em pó
¼ de colher (chá) de sal
¼ de xícara de óleo de coco derretido
3 colheres (sopa) de água gelada
melado de cana para pincelar (opcional)

recheio

1 maçã vermelha grande (gala ou fuji) com casca, sem sementes, picada em cubinhos
suco de 1 limão
raspas da casca de ½ limão
1 colher (sopa) de açúcar demerara
½ colher (chá) de canela em pó
¼ de colher (chá) de cravo em pó
¼ de colher (chá) de noz-moscada em pó
¼ de colher (chá) de gengibre em pó
¼ de xícara de nozes-pecãs picadas

1 Comece pelo recheio. Coloque todos os ingredientes, exceto as nozes-pecãs, em uma panela e misture bem. Leve ao fogo médio-baixo e cozinhe com a panela tampada até a maçã ficar macia. Desligue o fogo, misture as pecãs e reserve.
2 Para preparar a massa, misture todos os ingredientes secos em uma tigela grande. Junte o óleo e misture novamente com a ajuda de um batedor de arame. Adicione a água aos poucos até que a massa comece a se formar. Finalize amassando com as mãos e forme uma bola.
3 Entre dois pedaços grandes de papel-manteiga, abra a massa com um rolo até que fique com aproximadamente 5 mm de espessura. Divida em 4 partes.
4 Separe 3 forminhas de 10 cm de diâmetro e fundo falso. Use uma parte da massa para forrar o fundo e a lateral de cada forminha, usando os dedos para abrir a massa com cuidado. Apare o excesso de massa e leve ao freezer.
5 Enquanto isso, corte o que sobrou da massa em tiras com cerca de 1 cm de largura. Intercale as tiras, formando uma treliça, o "xadrez" característico da cobertura desse tipo de torta. Use a própria forminha para cortar 3 discos desse xadrez de massa e leve também ao freezer por 5 a 10 minutos.
6 Passado esse tempo, preaqueça o forno a 200 °C.
7 Retire as bases já geladas do freezer e divida o recheio entre elas. Coloque o xadrez de massa sobre cada uma delas. Ele estará bem durinho por causa do óleo de coco. Pincele um pouco de melado sobre o xadrez e asse por 40 minutos. Espere amornar e desenforme.

Caso não queira fazer o xadrez, utilize a massa para forrar mais uma forminha e prepare 4 tortinhas abertas. Guarde a massa que sobrar na geladeira, mas lembre-se de retirar 10 minutos antes de usar, pois o óleo de coco endurece em temperaturas mais baixas e a massa fica mais rígida quando gelada.

foto p. 107

PICOLÉ DE MORANGO, *macadâmia e granola*

RENDE **6 PICOLÉS**

1 xícara de morango sem folhas e sem cabinho picado
gotas de suco de limão
½ xícara de macadâmia crua demolhada (ver dica)
½ xícara de leite de coco concentrado (ver boxe p. 11)
1 colher (sopa) de açúcar demerara (opcional)
1 colher (chá) de óleo de coco derretido
½ colher (chá) de extrato de baunilha caseiro (p. 141)
¼ de xícara de granola (p. 18)
1 banana-nanica pequena amassada

Deixe a macadâmia de molho por aproximadamente 8 horas. Passado esse tempo, escorra e descarte a água. A macadâmia pode ser substituída por castanha de caju crua, e o leite de coco por qualquer outro leite vegetal cremoso. O açúcar demerara é opcional, e você pode usar estévia se preferir.

1 Coloque o morango em uma panela com as gotinhas de limão e leve ao fogo baixo, cozinhando até que soltem caldo e fiquem macios. Amasse com um garfo – você pode deixar a geleia mais rústica, com pedaços maiores, ou bem amassadinha, vai do seu gosto. Cozinhe mais um pouco para reduzir o caldo. Retire do fogo, passe para uma tigela e coloque na geladeira.
2 Coloque a macadâmia, o leite de coco, o açúcar, o óleo de coco e a baunilha no liquidificador e bata até obter um creme homogêneo.
3 Monte os picolés nas forminhas próprias, intercalando camadas de creme de macadâmia e geleia de morango, deixando ¼ da forminha vazia para completar com a granola. Dê batidinhas na forminha contra uma bancada para retirar o ar.
4 Misture a granola e a banana e complete as forminhas. Com cuidado, coloque os palitos, fazendo movimentos de leve para que passe pela camada de granola. Tudo bem se você acabar empurrando um pouco de granola para o creme. Se algo escapar de dentro da forminha, coloque de volta com uma faca.
5 Leve ao freezer por 2 horas. Retire de 10 a 15 minutos antes de servir para desenformar com mais facilidade.

PICOLÉ DE FLOCOS

RENDE **4 PICOLÉS**

½ xícara de castanha de caju crua demolhada (ver dica)
½ xícara de leite de coco concentrado (ver boxe p. 11)
1 colher (sopa) de açúcar demerara
½ colher (chá) de extrato de baunilha
¼ de xícara de chocolate sem leite 60% cacau picado ou em gotas + ¼ de xícara de chocolate para decorar

Deixe as castanhas de caju de molho por, no mínimo, 8 horas. Passado esse tempo, escorra e descarte a água.

1. Coloque a castanha de caju, o leite de coco, o açúcar e a baunilha no liquidificador e bata até obter um creme homogêneo. Adicione o chocolate picado e misture bem.
2. Despeje em forminhas de picolé e dê batidinhas contra uma bancada para retirar o ar. Leve ao freezer por 2 horas.
3. Antes de servir, derreta o chocolate para decoração em banho-maria: coloque o chocolate em uma tigela refratária, encaixe-a na boca de uma panela com um pouco de água sem deixar que a água encoste no fundo da tigela. Leve esse conjunto ao fogo baixo, mexendo o chocolate até derreter.
4. Desenforme os picolés sobre um pedaço de papel-manteiga e, rapidamente, despeje o chocolate derretido em fios para decorar. Consuma em seguida.

TORTINHA
de pêssego com baunilha

RENDE **8 TORTINHAS**

Uma saborosa combinação de massa crocante, geleia de pêssego com baunilha e pêssego assado. Se não for época de pêssego, use ameixas, manga ou crie seu próprio recheio!

massa

½ xícara de farinha de arroz
⅓ de xícara de fécula de batata
2½ colheres (sopa) de polvilho doce
½ colher (chá) de canela em pó
uma pitada de sal
2 colheres (sopa) de óleo de coco derretido
2 colheres (sopa) de melado de cana
2 colheres (sopa) de água gelada

recheio

4 pêssegos sem casca e sem caroço cortados ao meio
2 colheres (sopa) de açúcar demerara
1 colher (chá) de suco de limão
½ colher (chá) de extrato de baunilha caseiro (p. 141)
açúcar de confeiteiro para polvilhar (opcional)

Em lojas especializadas, existem bolinhas de cerâmica específicas para assar tortas. Se não encontrar, use feijões secos. Após assar a massa, guarde os feijões para quando repetir a receita, pois não servirão mais para serem consumidos.

1 Comece pela massa. Coloque a farinha, a fécula, o polvilho, a canela e o sal no processador e pulse algumas vezes para misturar. Adicione o óleo de coco e o melado e bata até misturar bem. Aos poucos, acrescente a água gelada e pulse novamente, até começar a encorpar. Se necessário, junte mais um pouco da água até formar uma bola de massa.

2 Separe 8 forminhas pequenas de fundo falso. Forre o fundo e a lateral com a massa, abrindo com os dedos e cuidando para deixar tudo com a mesma espessura. Coloque as forminhas com a massa na geladeira por no mínimo 1 hora.

3 Enquanto isso, preaqueça o forno a 180 °C e prepare o recheio.

4 Corte 4 metades de pêssego em fatias finas. Disponha-as em uma assadeira untada com óleo e asse por 20 a 30 minutos, até a fruta ficar tenra e o sabor bem concentrado (o tempo de forno vai depender do pêssego).

5 Corte as outras metades em cubos e coloque em uma panela junto com o açúcar e o suco de limão. Leve ao fogo médio e cozinhe até a fruta ficar macia. Desligue o fogo e adicione o extrato de baunilha. Retire o pêssego do forno. Você pode deixar tanto o pêssego assado quanto a geleia de pêssego na geladeira para que esfriem mais rápido.

6 Retire as tortinhas da geladeira, disponha um pedaço de papel-manteiga sobre a massa e cubra com feijões secos para fazer peso e a massa não estufar enquanto assa (ver dica). Asse por 10 a 15 minutos, até as bordinhas dourarem levemente. Retire do forno e espere esfriar

7 Coloque ½ colher (sopa) de geleia fria em cada tortinha. Disponha as fatias de pêssego assado por cima, formando um círculo. Se quiser, polvilhe um pouco de açúcar de confeiteiro sobre as tortinhas para decorar.

foto p. 116

receita p. 114-115

receita p. 118-119

TERRINE GELADA
de chocolate e avelã

RENDE **10 PORÇÕES**

Uma sobremesa gelada para dias especiais: recheio cremoso, avelãs crocantes e uma casquinha irresistível de chocolate amargo. Perfeita para refrescar dias mais quentes!

leite de aveia

4 xícaras de água filtrada
1 xícara de farelo de aveia
¼ de xícara de aveia em flocos

terrine

¾ de xícara de avelãs inteiras
2 xícaras de leite de aveia (ver dica)
1 xícara de biomassa de banana verde (p. 138)
½ xícara de chocolate sem leite 70% cacau picado ou em gotas
½ xícara de açúcar demerara
¼ de xícara de cacau em pó
2 colheres (sopa) de tapioca
¼ de xícara de óleo de coco derretido

cobertura

1 xícara de chocolate sem leite 70% cacau picado ou em gotas
½ xícara de óleo de coco derretido

Se quiser ver como faço o leite de aveia, acesse o QR Code e mostro a você um vídeo. Utilize uma faca afiada para cortar bem as avelãs do recheio. Esta terrine pode ser retirada do freezer 15 minutos antes de servir, para ficar mais parecida com um sorvete, ou ser deixada na geladeira por 1 hora após congelada para uma consistência mais cremosa.

1 Esquente a água filtrada a uma temperatura que seja possível mergulhar e manter seu dedo sem problemas. A água deve estar morna para fria; se estiver quente, a aveia engrossará e ficará muito difícil de coar. Despeje no liquidificador, junte o farelo e os flocos de aveia e bata bem. Coe com a ajuda de um pano de prato limpo ou coador de voal. Separe 2 xícaras e guarde o restante na geladeira por até 5 dias.

2 Preaqueça o forno a 180 °C. Espalhe as avelãs em uma assadeira e asse por 8 a 10 minutos. Fique de olho para não queimar! Retire do forno, deixe amornar um pouco e esfregue as avelãs com os dedos ou com um pano para retirar o máximo possível da pele.

3 Transfira o leite de aveia separado para uma panela e junte a biomassa, o chocolate, o açúcar e o cacau. Dissolva a tapioca em um pouco de água e também despeje na panela. Leve ao fogo médio e mexa até o creme engrossar.

4 Passe para uma tigela, misture a avelã (separe ¼ dela para a decoração) e leve à geladeira por cerca de 1 hora, ou até esfriar.

5 Enquanto isso, prepare a cobertura. Derreta o chocolate e o óleo em banho-maria: coloque-os em uma tigela refratária, encaixe-a na boca de uma panela com um pouco de água sem deixar que a água encoste no fundo da tigela. Leve esse conjunto ao fogo baixo, mexendo o chocolate até derreter.

6 Despeje ½ xícara em uma fôrma de bolo inglês de 22 x 9,5 cm e gire a fôrma para que o chocolate cubra o fundo e as laterais. Leve à geladeira por 5 minutos ou até o chocolate endurecer. Repita o processo com mais ½ xícara de chocolate, fazendo uma segunda camada. Deixe na geladeira por mais 5 minutos. Reserve o chocolate restante no banho-maria com o fogo desligado, para que não endureça.

7 Retire o creme de chocolate da geladeira e despeje dentro da fôrma. Cubra com o chocolate restante, usando uma espátula para alisar e vedar bem. Leve ao freezer por, no mínimo, 4 horas.

foto p. 117

Bebidas

LIMONADA ROSA
com manjericão

RENDE **2 COPOS**

6 morangos sem folhas e sem cabinho
½ xícara de água filtrada
1 limão-rosa grande (ver dica)
gelo a gosto
folhas de manjericão para decorar
½ xícara de água com gás

A limonada amarga com o tempo, portanto prepare-a quase na hora de servir. O limão-rosa também é conhecido como limão-cravo. Caso não encontre, substitua pelo limão-taiti.

1 Coloque o morango e a água filtrada no liquidificador e bata até desmanchar a fruta.

2 Lave bem o limão. Corte uma fatia fina do topo e da base, retirando a parte mais grossa da casca. Corte em quatro e retire o miolo com cuidado, sem machucar a polpa. Coloque o limão no liquidificador e bata por aproximadamente 10 segundos. Coe e reserve.

3 Em 2 copos grandes, distribua o gelo e as folhinhas de manjericão. Encha cada um até a metade com a limonada e complete com a água com gás. Decore com ramos de manjericão e sirva logo em seguida.

MATE LATTE
com especiarias

RENDE **3 COPOS**

- 1 colher (sopa) de erva-mate
- 4 cravos-da-índia
- 2 paus de canela
- 1 lasca de gengibre
- 2 xícaras de água filtrada fervente
- 10 tâmaras desidratadas sem caroço
- ½ xícara de castanha de caju demolhada por 6 horas e escorrida
- gelo a gosto
- hortelã e paus de canela para decorar

1. Em uma panela ou bule coloque a erva-mate, o cravo, a canela e o gengibre. Despeje a água fervente sobre a mistura e deixe em infusão até esfriar. Coe o chá, coloque metade no copo do liquidificador e reserve a outra metade na geladeira.
2. Adicione as tâmaras ao chá que está no liquidificador e deixe hidratando por 10 minutos. Passado esse tempo, junte a castanha de caju e bata até ficar homogêneo.
3. Distribua o gelo entre 3 copos e despeje o chá batido até a metade de cada um deles. Complete com o mate reservado e decore com hortelã e paus de canela.

O chá mate é muito popular, especialmente no Sul do Brasil. Como boa paranaense, não poderia deixar de incluí-lo neste livro. Eu me inspirei no chai latte para criar esta versão bem brasileira, feita com erva-mate e castanha de caju. Se preferir servir em uma jarra, bata todo o chá mate com a castanha e a tâmara.

CAFÉ CARAMELO

RENDE **2 COPOS GRANDES**

3 colheres (sopa) de açúcar demerara
6 colheres (sopa) + 1 xícara de leite vegetal mix (p. 134) morno
2 cubos de gelo de café (ver dica)
1 xícara de café passado forte
2 paus de canela bem longos para servir

Na noite anterior, despeje ½ xícara de café passado forte em forminhas de gelo e coloque no freezer.

1 Coloque o açúcar em uma panela e leve ao fogo baixo, tomando cuidado para não queimar. Quando o açúcar estiver derretido, retire a panela do fogo e adicione 2 colheres (sopa) de leite morno com cuidado; ele vai espumar bastante. Mexa e volte ao fogo baixo. Assim que a espuma baixar, adicione mais 4 colheres (sopa) de leite. Continue mexendo até que o caramelo se dissolva. Passe para um recipiente e coloque na geladeira para encorpar.

2 Coloque o caramelo em 2 copos, despejando na borda interna e girando o copo para espalhar bem. Coloque um cubo de gelo de café em cada um. Divida o café e o leite restantes entre os copos. Use um pau de canela para mexer bem e aproveite seu café!

CHOCOLATE QUENTE

RENDE **4 PALITOS**

½ xícara de chocolate sem leite 60% cacau
½ colher (chá) de canela em pó
½ colher (chá) de café solúvel

1 Derreta o chocolate em banho-maria: coloque o chocolate em uma tigela refratária, encaixe-a na boca de uma panela com um pouco de água sem deixar que a água encoste no fundo da tigela. Leve esse conjunto ao fogo baixo, mexendo o chocolate até derreter. Retire do fogo, adicione a canela e o café e misture.
2 Despeje a mistura em uma forminha de gelo ou de silicone – a que utilizei tem buraquinhos menores e faz cubos do tamanho perfeito para uma xícara. Você pode usar a fôrma de gelo tradicional, nesse caso escolha uma caneca maior para dissolver seu chocolate quente.
3 Corte 4 canudos ao meio, deixe o chocolate esfriar um pouco e espete um canudo em cada buraquinho da fôrma. Deixe na geladeira até endurecer.
4 Sirva com uma xícara do seu leite vegetal favorito bem quente. É só mergulhar seu palito de chocolate no leite, esperar derreter e se deliciar!

VITAMINA DE BANANA, amêndoa e cacau

RENDE **1 COPO**

leite de amêndoa

1 xícara de amêndoa crua
3 xícaras de água filtrada
algumas gotas de extrato de baunilha caseiro para aromatizar (opcional, p. 141)

vitamina

1 xícara de leite de amêndoa
2 bananas cortadas em rodelas
2 colheres (sopa) de aveia ou quinoa em flocos
2 colheres (sopa) de cacau em pó
1 colher (sopa) de café passado forte
½ colher (chá) de canela em pó

1 Deixe a amêndoa de molho em água por, no mínimo, 8 horas. Passado esse tempo, escorra e descarte a água. Transfira as amêndoas para o liquidificador e despeje a água filtrada. Bata até obter um líquido esbranquiçado. Coe com a ajuda de um pano de prato limpo ou voal. Separe 1 xícara para esta receita e guarde o restante na geladeira por até 5 dias. O resíduo do leite pode ser usado em massas de bolo e cookies ou servido sobre uma salada de frutas.

2 Coloque todos os ingredientes da vitamina no liquidificador e bata até ficar cremoso. Sirva gelada ou com cubos de gelo.

Se as bananas não estiverem muito maduras, adoce com um pouco de açúcar mascavo.

AVEIA
CHIA
QUINOA
LEITE VEGET
LEITE VEGET
EXTRATO DE BAUNILHA

Básicas

LEITE VEGETAL

RENDE **3½ XÍCARAS**

- 8 tâmaras sem caroço
- ½ xícara de castanha de caju crua demolhada
- ½ xícara de macadâmia crua demolhada
- ½ xícara de amendoim torrado sem sal e sem pele demolhado
- 1 colher (chá) de extrato de baunilha caseiro (p. 141)
- 3⅓ xícaras de água filtrada

1. Coloque as tâmaras de molho em água morna por 10 minutos. Passado esse tempo, escorra e descarte a água.
2. Transfira para o liquidificador e acrescente a castanha de caju, a macadâmia e o amendoim. Junte a baunilha e a água e bata até obter um líquido branco e homogêneo.
3. Coe o leite em um pano de prato limpo ou um coador de voal. Dura até 3 dias na geladeira.

Deixe as castanhas, a macadâmia e o amendoim de molho separadamente por 8 horas. Passado esse tempo, escorra e descarte a água. Esta receita é dedicada a quem implica com o sabor dos leites vegetais puros. Graças à mistura de oleaginosas, baunilha e tâmaras, esta receita fica com um sabor suave e levemente adocicado. É uma delícia para consumir pura ou com granola (p. 18) e serve até para vaporizar e preparar um cappuccino!

MERENGUE *de aquafaba*

RENDE **3 XÍCARAS**

- 3 xícaras de grão-de-bico seco
- ½ xícara de açúcar demerara
- ½ colher (chá) de goma xantana
- ½ colher (chá) de extrato de baunilha caseiro (p. 141)

1. Deixe o grão-de-bico de molho por 12 horas, se possível trocando a água do remolho a cada 4 horas. Isso ajuda a reduzir os antinutrientes da leguminosa.
2. Escorra os grãos, coloque na panela de pressão e cubra com bastante água. Leve ao fogo alto até a panela começar a chiar; reduza para fogo baixo e cozinhe por 30 minutos. Desligue o fogo e espere a pressão sair naturalmente. Separe os grãos – você pode usá-los na massa da torta banoffee (p. 104) – e deixe a água na panela.
3. Leve ao fogo alto novamente, sem tampar. Espere ferver e reduza o fogo, cozinhando até reduzir o volume e sobrar 1½ xícara de um líquido mais viscoso, a aquafaba. Deixe na geladeira por 4 horas; a textura deve ser um pouco gelatinosa, quase como a de clara de ovo.
4. Para fazer o merengue, bata a aquafaba na batedeira até espumar. Continue batendo até formar picos. Adicione o açúcar, a xantana e a baunilha e bata até incorporar. Use para cobrir bolos e tortas (como a banoffee da p. 104) ou para fazer suspiros.

BIOMASSA *de banana verde*

8 bananas-caturras verdes

1. Separe as bananas da penca e lave bem a casca com uma escovinha.
2. Coloque-as na panela de pressão e cubra com água. Fique atento ao nível máximo da panela. Se as bananas forem muito grandes, pode ser que você tenha que dividir o preparo em duas ou três vezes.
3. Feche a panela e ligue o fogo. Cozinhe por 8 minutos depois que a panela começar a chiar. Desligue o fogo.
4. Espere a pressão sair naturalmente da panela, abra e deixe as bananas esfriarem um pouco. Retire-as com a ajuda de um pegador e descasque-as com cuidado para não se queimar. As bananas estarão um pouco mais escuras e será fácil retirar a casca. Algumas podem até ter aberto durante o cozimento, é normal.
5. Transfira a polpa das frutas para o liquidificador. A biomassa é um creme espesso e, dependendo do seu liquidificador, pode ser um pouco chato de bater. Coloque as bananas já meio despedaçadas no copo e adicione um pouquinho de água, o suficiente para ajudar a bater. Divida a tarefa em partes. Se insistir em bater tudo junto, pode ser que o equipamento não dê conta. Seja paciente: pare o liquidificador e limpe as bordas do copo até virar um creme homogêneo.
6. Depois de pronta, a biomassa se conserva por até 3 dias na geladeira ou 3 meses no freezer. Para congelar, espalhe-a em uma fôrma de gelo, alisando a superfície com uma espátula para que as divisórias fiquem à vista, facilitando desenformar. Cubra com filme de PVC e leve ao freezer. Transfira os cubinhos congelados para um saco com fecho hermético ou um recipiente com tampa. Na hora de descongelar, coloque os cubos em uma panela com um dedinho de água e mexa em fogo médio-baixo até recuperar a consistência. Caso necessário, bata com a ajuda de um mixer de mão para ficar mais cremosa.

Compre bananas bem verdes. Geralmente uso a banana-caturra (também conhecida como nanica), mas já ouvi dizer que funciona bem com qualquer tipo de banana. Se você não encontrar à venda na feira, converse com o feirante. Ele pode ter umas guardadas, ou pode trazer especialmente para você. Acesse o QR Code para ver este passo a passo ilustrado.

EXTRATO DE *baunilha caseiro*

2 favas de baunilha
vodca ou álcool de cereais

Quando for preparar alguma receita que peça apenas as sementinhas da baunilha, adicione a fava ao seu frasco de extrato; mesmo depois de aberta, a fava continua a liberar sabor e aroma. Assim, seu extrato vai se renovando e se enriquecendo cada vez mais.

1. Com uma faca de ponta afiada, abra as favas de baunilha no sentido do comprimento e raspe as sementinhas.
2. Coloque tanto as favas quanto as sementes em um vidro com tampa. Preencha-o com vodca ou álcool de cereais e chacoalhe. Guarde em um local escuro e fresco, como o fundo de um armário.
3. Chacoalhe a mistura 1 vez por semana. Deixe em infusão por, no mínimo, 2 meses. Para obter um extrato bem saboroso, o ideal é deixar descansar por 6 meses ou mais.

ÍNDICE *alfabético*